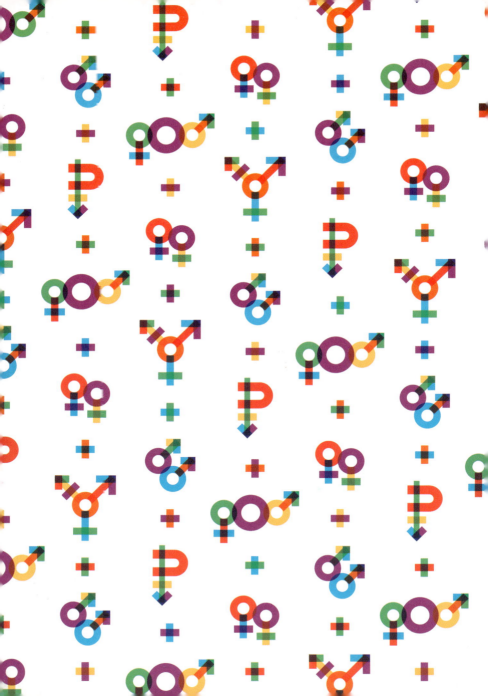

DÉBORA THOMÉ

1ª edição

Galera

RIO DE JANEIRO
2021

CIP-BRASIL. CATALOGAÇÃO NA PUBLICAÇÃO
SINDICATO NACIONAL DOS EDITORES DE LIVROS, RJ

T386c

Thomé, Débora
    50 LGBTQ+ incríveis / Débora Thomé ; organização Richarlls Martins. - 1. ed. - Rio de Janeiro : Galera Record, 2021.
    : il.

    ISBN: 978-85-01-11955-1

    1. Homossexuais - Biografia - Brasil. 2. Lésbicas - Biografia - Brasil. 3.Transexuais - Biografia - Brasil. I. Martins, Richarlls. II. Título.

21-71301   CDD: 920.9306760981
                                                                                CDU: 929-055.3(81)

Leandra Felix da Cruz Candido - Bibliotecária - CRB-7/6135
31/05/2021 01/06/2021

Copyright © 2021, Débora Thomé
Leitura sensível: Ana Rosa

Todos os direitos reservados.
Proibida a reprodução, no todo ou em parte, através de quaisquer meios.
Os direitos morais do autor foram assegurados.

Texto revisado segundo o novo Acordo Ortográfico da Língua Portuguesa.

Direitos exclusivos de publicação em língua portuguesa somente para o Brasil adquiridos pela
EDITORA RECORD LTDA.
Rua Argentina, 171 - Rio de Janeiro, RJ - 20921-380 - Tel.: (21) 2585-2000, que se reserva a propriedade literária desta tradução.

Impresso no Brasil
ISBN 978-85-01-11955-1

Seja um leitor preferencial Record.
Cadastre-se e receba informações sobre nossos lançamentos e nossas promoções.
Atendimento e venda direta ao leitor:
sac@record.com.br

Impresso na Gráfica Eskenazi

Querides leitores

Sejam bem-vindes a estas histórias cheias de encantamento.

Este livro nasceu de um amor de tipo puro, daquele que constrói beleza, que não julga pelas diferenças, que transforma.

Escolhemos com carinho o nome des 50 brasileires incríveis que preenchem estas páginas em textos, em ilustrações, em alma.

Muitos vocês já devem ter conhecido, outros foram novidade até mesmo para nós. Com elus, nos emocionamos e aprendemos.

Nem sempre esses brasileires percorreram um caminho fácil ou viveram um final feliz, mas todes tiveram uma vida cheia de autenticidade e de realização. Foram amigues, companheires, apoiaram-se, batalharam.

Elas e eles se tornaram exemplos de que seres humanos são múltiplos, somos uma infinitude. E é essa diversidade que faz a vida tão bonita.

Uma lista assim nunca é finita: tantos foram os nomes que não couberam nestas páginas. Isso não apenas falando das pessoas famosas, mas também das comuns que, ao longo da história, não tiveram o direito de ser quem eram, de amar e expressar livremente seu amor.

Para que estas vidas ficassem ainda mais brilhantes aqui, convidamos 18 artistas LGBTQ+ incríveis para ilustrarem as muitas histórias.

Sabemos que váries de vocês ainda veem este planeta como um lugar muito hostil e difícil de viver. Porém, se tem um recado que queremos deixar é que, aos poucos, as coisas vão melhorando, elas vão melhorar.

Este livro, então, é dedicado a todas as pessoas que amam e que existem sem limitações, sem modelos, sem amarras. E que, a despeito das ondas contrárias, constroem um mundo muito mais colorido.

Também é dedicado a _____, por ser exatamente quem você é.
(preencha aqui o nome especial)

Boa leitura!

Sumário

 Pabllo Vittar

 Felipa de Sousa

 Caio Fernando Abreu

 Cássia Eller

 Erica Malunguinho

 Cazuza

 Roberta Close

 Sen. Fabiano Contarato

 Jorge Lafond

 Marta

 Gisberta

 Leandro Prior

 Leci Brandão

 João W. Nery

 Joãozinho da Gomeia

 Miss Biá

João Silvério Trevisan

Jurema Werneck

Rogéria

João do Rio

Angela Ro Ro

Alexandra Gurgel

Silvero Pereira

Jean Wyllys

Daniela Mercury

Alexya Salvador

Herbert Daniel

Amiel Modesto

Ney Matogrosso

Katú Mirim

Tifanny Abreu

Madame Satã

Rosely Roth

Dzi Croquettes

Márcia Rocha

Ludmilla

Almir França

Marco Nanini

Anahí Guedes de Mello

Leilane Neubarth

André Fischer

Laerte

Marielle Franco

Milton Cunha

Amanda Nunes

Mãe Stella de Oxóssi

Linn da Quebrada

Luiz Mott

Sandra de Sá

Paulo Gustavo

Seus LGBTQ+ Incríveis

Agradecimentos

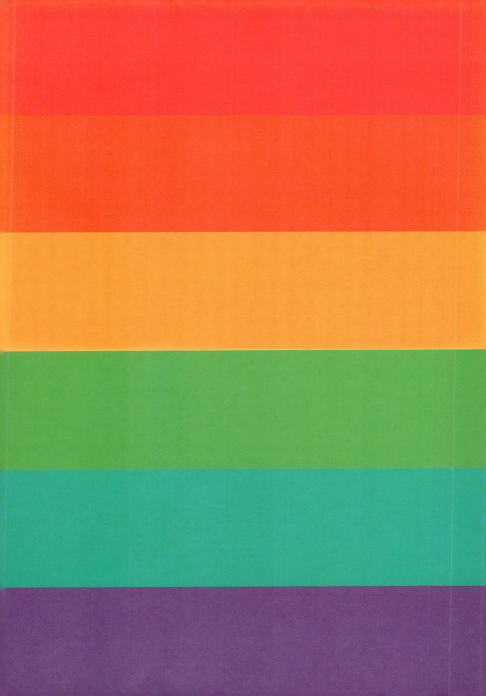

Pabllo Vittor

1993

Quando o gêmeo Phabullo nasceu, de uma família simples do Maranhão, ninguém jamais poderia prever que, 23 anos depois, ele seria notícia no *New York Times*, ou que seus clipes seriam vistos um bilhão de vezes em todo o planeta. Era uma estrela em plena explosão.

O menino gostava de brincar de boneca com as irmãs e corria pela rua jogando tacoball. Na aula, usava as colegas como cobaias para suas maquiagens. Dançava quadrilha, ensaiava teatro, cantava. Tudo era pretexto para se jogar: seu microfone era o cabo de vassoura, e a plateia, os vizinhos que passavam. Um dia cismou que queria fazer balé. Sua mãe não hesitou: "É só ir lá." Ele se tornou o rei dos espacates, também imitava Whitney Houston misturando com Lady Gaga e Beyoncé.

Phabullo começou a se apresentar na TV local de Caxias (MA), mas foi em Uberlândia (MG), onde revezava o trabalho no telemarketing e a faculdade de Design de Interiores, que tudo mudou.

No aniversário de dezoito anos, inspirado por RuPaul, a drag Pabllo Vittar chegava ao mundo. Com o patrocínio de um professor, conseguiu fazer um show e, logo depois, gravou o clipe "Open Bar". Quando sua mãe a viu na tela, disse chorando: "Meu filho, chegou sua hora."

Pabllo virou estrela de campanhas de publicidade, foi capa de revista feminina, participou do Rock in Rio. Ganhou prêmios no País e no exterior e rapidamente se transformou na drag mais amada pelo Brasil.

Ele gosta de ser ela, ela gosta de ser ele. Para passar de um à outra, gasta duas horas de preparação. Quando está montada, no palco, "baixa um negócio, ninguém me tomba".

A estrela Pabllo nasceu para brilhar.

Isadora Zeferino

Felipa de Sousa

1556 - ?

Muito antes de muita coisa acontecer nestas terras, no século XVI, uma mulher ousou declarar convictamente que, sim, sentia "grande amor e afeição carnal" por outras mulheres. Em 1592, Felipa de Sousa foi condenada pela Inquisição pelo "abominável pecado nefando" da "sodomia foeminarum", como está registrado no processo nº 1.267 do Santo Ofício.

Natural de Tavira, no Algarve, em Portugal, Felipa veio para o Brasil e se fixou em Salvador. Era viúva e casada pela segunda vez. Diferentemente da maioria das mulheres que aqui estavam, sabia ler e escrever. Além disso, tinha um ofício: era costureira.

Felipa estava com 35 anos quando foi denunciada. O tribunal inquisitório vivia uma fúria punitiva contra as heresias, e um caso de desvio sexual como este lhe era, de alguma forma, oportuno. O curioso é que, naquela época, a Igreja Católica nem considerava que fosse possível duas mulheres terem prazer juntas se não houvesse penetração. Assim, não cogitavam sequer a existência do "cumprimento", como chamavam o orgasmo.

Quando foi interrogada, Felipa contou em detalhes suas estratégias de conquista e muitos dos encontros que teve com diferentes mulheres. Diz-se que os inquisidores preferiram parar a investigação para não causar mais problemas no povoado.

Condenada, ela acabou presa no calabouço e, em 26 de janeiro de 1592, durante a festa de São Timóteo, descalça e vestindo apenas uma túnica, foi levada em cortejo pelas ruas. Felipa, de pé, segurava uma vela e ouvia a sentença: "açoitar esta mulher por fazer muitas vezes o pecado nefando de sodomia com mulheres. E que seja degredada para todo o sempre para fora desta capitania."

Ninguém nunca soube o destino exato de Felipa.

Mas, em 1994, recebeu uma homenagem póstuma: passou a dar nome ao prêmio da Comissão Internacional de Direitos Humanos de Gays e Lésbicas.

Helder Oliveira

Caio Fernando Abreu
1948 - 1996

Caio era virginiano, com ascendente em escorpião e lua em capricórnio. Era um missivista voraz, um apaixonado amante, um escritor que se dedicava com alma a temas como o esoterismo e a homossexualidade.

Gaúcho, ele nasceu na cidade de Santiago e, na juventude, perambulou pelos cursos de Jornalismo, Teatro e Letras, até decidir viver da escrita. Publicou mais de uma dezena de obras literárias, além de peças de teatro e traduções. Seu primeiro conto saiu na revista *Cláudia*, em 1966.

Caio se mudou para São Paulo para trabalhar como jornalista. Em 1970, lançou o primeiro livro: *Inventário do ir-remediável*. Inquieto que era, morou no Rio de Janeiro, em Porto Alegre e na Europa – trabalhando com o que conseguisse.

Não foi fácil, mas com 34 anos já tinha cinco livros publicados.

Morangos mofados, o mais conhecido, de 1982, só saiu depois de dois anos guardado na gaveta da editora. Um dos contos narra um encontro de carnaval: "só um corpo que por acaso era de homem gostando de outro corpo, o meu, que por acaso era de homem também." Outro texto do livro, premiado em plena ditadura, trata da relação entre um sargento e um rapaz.

Parte da obra de Caio F. Abreu foi traduzida para o inglês, para o francês... e até para o holandês. Porém, mesmo com prêmios no Brasil e reconhecimento no exterior, ainda lhe faltava dinheiro. Certa feita, em Londres, esbarrou com seu livro indicado para leitura numa vitrine de livraria, enquanto corria atrasado para o restaurante onde lavava pratos.

Em 1994, Caio soube que era HIV positivo. Seu caminho diferente nunca coube nos trilhos de um bonde. Morreu em decorrência da AIDS em 1996. Tinha 47 anos.

Elayne Baeta

Cássia Eller
1962 - 2001

Estranho é não se apaixonar por Cássia Eller, a carioca-brasiliense que carregava música nas veias. Não era lá grande compositora, mas cantava como se sua história estivesse contando, com um som produzido desde as entranhas. Ia de Nirvana a Édith Piaf, passando pelo grande parceiro Nando Reis.

A música entrou na sua vida graças ao rádio que escutava junto da babá. Desde cedo, soube que queria ser artista — não importava se malabarista de circo ou bailarina. Mas a voz se impôs. Estreou no teatro em Brasília, ao lado de Zélia Duncan, em um espetáculo de Oswaldo Montenegro. Apaixonou-se ali pelo palco. Em cima dele, vencia o medo: era fera, bicho, anjo e mulher.

Com uma voz grave única, Cássia começou a lotar a casa de shows Bom Demais, em Brasília. Logo depois, com Eugênia, companheira da vida toda, mudou-se da capital federal e acabou se fixando no Rio de Janeiro.

Em 1998, já com seis discos gravados, descobriu que estava grávida. Muitos não entenderam: como aquela mulher cheia de *feelings deep inside*, louca, que, às vezes, era vista como um homem, poderia ser mãe? Mas Cássia não tinha vindo ao mundo para ser óbvia, e ser mãe era um de seus sonhos. Chicão nasceu filho de Cássia e de Eugênia.

Nos anos que se seguiram, seu talento explodiu: o show do Rock in Rio III, em 2001, foi um marco, e o Acústico MTV vendeu mais de um milhão de cópias, rendendo a ela um Grammy.

Cássia era tudo isso quando faleceu, aos 39 anos, de um infarto no miocárdio. Sua morte desencadeou uma disputa pela guarda de Chicão. No entanto, em uma decisão judicial inédita, seu filho acabou ficando sob a tutela da outra mãe, Eugênia, companheira de Cássia.

Ilustra Lu

Erica Malunguinho

1981

No dia 15 de março de 2019, Erica Malunguinho adentrou a Assembleia Legislativa de São Paulo. Vestindo branco e cabelo de deusa, marcava a chegada de sua mandata quilombo, numa reocupação de um espaço hostil que, tradicionalmente, não recebe bem as suas e os seus. Foram 55.423 as pessoas que a escolheram como sua deputada estadual, como legítima representante política.

Erica nasceu em Água Fria, bairro negro do Recife (PE), filha de mãe solteira. Disseram-lhe que era um menino, identidade que carregou durante algum tempo. Na escola, desafiava o sistema e, pelas ruas, fazia performances se vestindo de mulher para ver a reação das pessoas.

Foi para São Paulo com vinte anos cursar Pedagogia. Trabalhava também como artista plástica e professora. Se já tinha então consciência do que era ser preta, acabou entendendo ali o que era ser nordestina. Anos depois, concluiu o mestrado em Estética e História da Arte.

Sabedora da carência de espaços democráticos dispostos a ouvir a voz da população preta, fundou um quilombo urbano – o Aparelha Luzia, Associação Preta Política Artística Gentista Destruidora das Razões –, importante ponto de resistência negra de São Paulo.

Na tradição e na cultura africanas, Erica busca os elementos para recriar a história hegemônica, branca e cisgênero. Traz Oxumaré, que metade do tempo é homem, e na outra metade, mulher, para discutir as concepções tão restritas que se têm da sexualidade. Nos vínculos e na ancestralidade, ela constrói sua força.

"Viver é perigoso para quem não está dentro da normatividade", lembra, citando, sempre que pode, frases de música para reforçar suas ideias.

Erica Malunguinho é uma existência política: é mulher, preta, trans e nordestina.

1958 - 1990

Cazuza nasceu Agenor, mas foi Cazuza (às vezes, Caju) — poeta e cantor — por uma imensa vida breve, que durou apenas 32 anos. Era carioquíssimo, destes que carregam no xis; e gostava de enrolar entre os dedos os cachos do cabelo, enfeitado sempre por uma faixa colorida. Foi uma estrela do BRock, o som brasileiro dos anos 80.

Desde a escola, seu talento já era evidente, mas, até os quinze anos, não era muito de sair de casa. Até o dia em que saiu... Passou a consumir o mundo exageradamente em música, sexo, drogas e o que mais pintasse. Tornou-se cantor.

A carreira artística começou no grupo Barão Vermelho. Em 1982, lançaram o primeiro álbum, cheio de composições de Cazuza com Frejat. Três anos depois, cantou no épico Rock in Rio I. Foi quando decidiu sair da banda e gravou outros quatro discos solo, vendendo mais de cinco milhões de cópias!

Cazuza era gente em carne viva. Sentia amor, sentia raiva, dava chilique e gostava de camarão. Além de contar segredos de liquidificador, compôs músicas que eram a marca do Brasil da década perdida: a desesperança se transformava em poesia. Depois dos navios negreiros, outras correntezas. Ideologia, eu quero uma pra viver. Brasil, mostra tua cara.

Mesmo com tanta vida, a AIDS não lhe deu trégua. Cazuza foi o primeiro artista a contar ao país que era HIV positivo. Naquela época, a epidemia matou milhares de brasileiros que amavam livremente.

Ele seguiu compondo e gravando até sua morte, em 7 de julho de 1990. Sua voz, porém, manteve um grito vigoroso: "Vamos pedir piedade. Senhor, piedade! Pra esta gente careta e covarde."

Roberta Close

1964

Roberta ainda era chamada de Luiz Roberto quando, usando um shortinho jeans, ouviu seu pai dizer às visitas que ela não era sua filha, mas a empregada. A rejeição a marcou para sempre, mas não tirou um pingo de sua garra.

No ponto da mulher nota dez, a carioca foi registrada como menino. Anos depois, soube que era intersexual: ou seja, seus órgãos sexuais e reprodutivos não necessariamente se encaixavam no que são consideradas características "femininas" ou "masculinas".

No colégio, sentia vergonha: seu órgão era pequeno, e fisicamente parecia uma menina. Acabou expulsa da escola e, com dezesseis anos, fugiu para São Paulo. Sem dinheiro, teve que se prostituir e foi até parar na delegacia.

Nessa nova vida, nascia a Roberta. E, logo depois, a Roberta Close.

Dona de uma beleza estonteante, com 1,80 metro de altura e exibindo longos cabelos castanhos, tornou-se modelo e ganhou alguns concursos de miss.

Logo ficou conhecida em todo o país, quando despontou no carnaval e posou para a conhecidíssima revista *Playboy*. Foram duzentos mil exemplares vendidos em dois dias. Ela também desfilou para estilistas internacionais da alta costura, como Guy Laroche e Jean-Paul Gaultier. O jornal estampava a manchete: "Mulher mais bonita do Brasil é homem."

São muitas as histórias desta precursora: desde o alistamento no Exército, em que se apresentou usando um vestido branco justo, até o dia em que os voos atrasaram em Brasília pelo frisson que ela causou no aeroporto. Todos queriam vê-la!

Em 1989, finalmente conseguiu fazer, em Londres, a cirurgia que adequava seu corpo aos seus desejos. Mas foram necessários dezesseis anos para que tivesse o direito de ser, oficialmente, Roberta. Ela se casou em 1993 e foi viver na Europa. Lá sempre foi mulher.

Sen. Fabiano Contarato

1966

Um dos mais ilustres filhos de Nova Venécia (ES) foi eleito senador pelo estado em 2018 com 1.117.036 votos. Fabiano Contarato é delegado, casado, batizado e crismado, e traz no peito um crucifixo de São Francisco de Assis.

Sexto filho de uma dona de casa semianalfabeta e de um motorista de ônibus, Fabiano concluiu a escola técnica e se formou na faculdade de Direito com muito esforço. Para diminuir o preconceito, fazia questão de ser o melhor aluno, mesmo assim, escutava: "tão inteligente, mas é gay." Na época, ainda não entendia bem seus sentimentos; isso acabou o aproximando da Igreja Católica.

Fabiano tinha 27 anos e já havia sido aprovado no concurso da Polícia Civil quando viveu a sua primeira relação homoafetiva.

Delegado de pulso firme e defensor dos direitos humanos, foi remanejado de várias delegacias em que trabalhou: em uma delas, proibiu a violência de policiais praticada contra os presos; em outra, cobrou que a lei ambiental valesse, inclusive para os grandes negócios. Também é professor de Direito e já foi corregedor-geral do Estado.

Graças à agenda de segurança que propôs em sua campanha, conseguiu derrotar um concorrente homofóbico. Outras pautas levantadas foram a defesa do meio ambiente e da família — de todas elas.

Como sempre quis ser pai, em 2017 decidiu que era a hora. Quando lhe avisaram que havia uma criança para adoção, ele começou a tremer. No início, não sabia o que fazer com o menino recém-chegado e teve que pedir ajuda a um vizinho. Gabriel acabou transformando a vida de Fabiano e de seu marido, Rodrigo. Em 2020, ganhou uma filha, a pequena Mariana.

Fabiano Contarato, primeiro senador abertamente homossexual do país, hoje já pode dizer em paz: Deus quer que você seja feliz, ame e tenha um bom caráter.

Jorge Lafond
1952 - 2003

"Ueeeepa, estou na área", gritava Vera Verão, ao entrar em cena, do alto de seus dois metros de altura.

Com olhos maquiados, brincos escandalosos e uma careca negra reluzente, Jorge Lafond, conhecido, na época, como "o gay da família brasileira", foi um comediante adorado por mais de duas décadas de televisão. Os personagens homossexuais mais comuns na TV eram sempre exagerados e faziam piada com o próprio jeito de transitar entre masculino e feminino.

Vera Verão, do programa humorístico *A Praça É Nossa*, foi a personagem mais longeva de Lafond, cujo nome de certidão era Jorge Luiz de Souza Lima. Filho de uma telefonista e de um bombeiro, ele foi criado no subúrbio do Rio de Janeiro.

Desde criança, Jorge gostava de meninos, mas morria de medo de os pais descobrirem, então os agradava tirando boas notas na escola. Começou a estudar balé aos nove anos de idade e, do clássico, passou ao afro. Até se firmar como artista, trabalhou em uma oficina mecânica. Quando engrenou na dança, fez shows pelo país e participou de turnês mundo afora. Também integrou o renomado Ballet Folclórico Mercedes Baptista.

Na volta ao Brasil, participou de programas de TV conhecidos, começando pelo corpo de baile do *Fantástico*, em 1982. Depois, atuou no *Viva o Gordo* e em *Os Trapalhões*. Interpretou Madame Satã na novela *Kananga do Japão*, além de representar diversos papéis no cinema.

Lafond era também um ícone do Carnaval. Foi Adão na Beija-Flor, fantasiado só com uma folha de parreira, destaque na Imperatriz Leopoldinense e, ainda, em 2002, madrinha da bateria da Unidos de São Lucas, escola de samba de São Paulo.

Um ano depois, com cinquenta anos, Lafond faleceu devido a problemas cardíacos. Mas alguns de seus bordões permaneceram vivíssimos: "Bicha, não! Eu sou uma quase... Vera Verão!"

Isadora Zeferino

Marta
1986

A maior artilheira de todos os tempos em Copas do Mundo, com dezessete gols, chama-se Marta. Também é ela quem mais marcou com a camisa da Seleção Brasileira: 108 gols, treze a mais que Pelé.

Marta Vieira da Silva nasceu na pequena Dois Riachos, cidade com doze mil habitantes, em Alagoas. De família pobre, só entrou na escola com nove anos. A mãe passava o dia fora de casa trabalhando, enquanto a canhota Marta, que não gostava de brincar de boneca, começou a acompanhar os primos na ida ao campinho de futebol. A fofoca era grande: criticavam sua mãe e chamavam a menina de mulher-macho.

O futebol acabou se tornando uma paixão e a grande oportunidade para que pudesse ajudar sua família. Aos catorze anos de idade, ela foi para o Rio de Janeiro jogar, e, já no primeiro ano, foi considerada a revelação do time do Vasco.

Do interior do Brasil, partiu para o mundo. Seu primeiro torneio pela Seleção Brasileira foi em 2003, nos Jogos Pan-Americanos de Santo Domingo, na República Dominicana. Saiu com a medalha de ouro. Ao longo da carreira, venceu outro Pan-Americano, em 2007, além de mais algumas Copas América, em 2003, 2010 e 2018.

O sucesso nos jogos de 2003 fez com que fosse convidada para jogar na Suécia. Não tinha nem ideia de onde o país ficava, nem do frio que lá fazia. Mas não se melindrou e acabou ganhando vários títulos na Europa, tornando-se ídolo no Velho Continente. A carreira internacional ainda teve mais paradas, desta vez, nos Estados Unidos. Até agora, foram 11 suas equipes.

Não bastassem todos esses campeonatos, Marta foi eleita por seis vezes a melhor jogadora do mundo, em 2006, 2007, 2008, 2009, 2010 e 2018, ano em que também se tornou embaixadora da boa vontade para mulheres e meninas no esporte, a convite da ONU Mulheres.

Gisberta
1961 - 2006

"Eu não sei se a noite me leva,
Eu não ouço o meu grito na treva [...]"

Os versos que Pedro Abrunhosa escreveu para Gisberta, embalados por Maria Bethânia, contam em poesia a dor desta brasileira, assassinada em Portugal em 2006, cuja violência da morte transformou o debate sobre transgêneros no país.

Gisberta, oitava filha, ganhou o nome em homenagem ao pai. Tinha a pele bem branca, gostava de dançar e brincar com as meninas.

A chegada à Europa começou com sua fuga de São Paulo, tinha só dezoito anos e temia ser morta em uma onda de assassinatos de travestis. Viveu em Paris, na França; depois no Porto, em Portugal.

Em solo europeu, fazia shows nos bares como transformista e, com um penteado loiro e vestido rosa, imitava Marilyn Monroe. O restante da renda, ela completava na rua. Acabou contraindo o vírus HIV, mas nunca se tratou. Caiu na miséria e foi morar em um edifício abandonado.

Gisberta tornou-se invisível.

Certa feita, três rapazes a encontraram nas ruínas do prédio, e um deles a reconheceu. Durante dias, cuidaram dela, mas, depois, junto com outros onze colegas, começaram a espancar e violentar aquele "homem que tinha peitos". Foi agredida até o ponto de desfalecer.

Quando voltaram ao local, achando que ela não mais vivia, decidiram jogar seu corpo no fosso. Gisberta morreu afogada. Os estudantes, entre doze e dezesseis anos, foram finalmente julgados. Mas foi preciso que associações LGBTQ+ fizessem pressão para que a memória de Gisberta fosse respeitada.

Ela estava com 45 anos. Na barraca em que morava, encontraram seu espólio: um cobertor amarelo, uma camisola azul, um sapato preto, um pente, dois batons e um delineador. Ou como dizia a canção:

"Trouxe pouco, levo menos [...]
O amor é tão longe...
E a dor é tão perto."

Leandro Prior
1991

Quando criança, volta e meia Leandro fazia patrulha com o pai nas viaturas da polícia em Caraguatatuba, no litoral de São Paulo. Nascido em uma família de militares, seu primeiro aniversário foi comemorado no quartel. Assim, nada mais natural que ele também quisesse entrar para a corporação.

Aos 23 anos, foi aprovado no concurso. Naquela época, já sabia que era gay e evitava dar importância às ofensas que escutava no treinamento. Tudo correu razoavelmente bem por quatro anos, até o dia 21 de junho de 2018, quando alguém o filmou dando um selinho em seu companheiro na estação do metrô e espalhou o vídeo nas redes sociais.

O soldado Prior, naquela hora, era somente um trabalhador retornando para casa cansado de um dia de serviço; era alguém que não tinha vergonha de expressar seu carinho. Mas, como estava fardado, acabou sendo julgado. E, em pouco tempo, um volume enorme de mensagens acabou travando o seu celular. Elas traziam apoio, mas também vinham cheias de ameaças.

O vídeo e o preconceito lhe causaram muitos problemas na corporação. Com crises de ansiedade, Prior se afastou do trabalho por seis meses. Deixou a casa em que morava, vendeu os móveis e perdeu o companheiro. Chegou a ser preso por ter dado entrevistas, ainda assim, continuou cheio de coragem. Nas redes sociais, os apoios vieram com fotos que mostravam homens fardados e o arco-íris com a hashtag #somostodosprior.

Mais adiante, já em um novo romance, viveu mais um episódio: decidido a pedir o namorado em casamento fardado, como é praxe entre policiais, não apenas foi proibido como ganhou mais um processo disciplinar. Atualmente, ele já acumula 60 processos.

Com as unhas pintadas, Prior ainda acredita que usar a farda significa proteger o próximo. Apesar de tudo, ele não vai desistir.

Leci Brandão

1944

O ano era 1978, quando o Brasil ainda vivia sob a ditadura. Um dia, voltando para casa, Leci começou a escutar uma melodia em sua cabeça e, lembrando da história que um amigo lhe contara, deixou que a intuição transformasse em música o ofício de Zé do Caroço:

"É que o Zé põe a boca no mundo
É que faz um discurso profundo
Ele quer ver o bem da favela"

Essa e outras canções a tornaram conhecida como a cantora das causas populares: em todos seus discos há, ao menos, uma música de reivindicação.

Leci é carioca de Madureira, bairro berço do samba. A Mangueira, sua paixão, veio pela avó. Na juventude, ela trabalhou em uma fábrica de balas de festim; isso até decidir ser artista.

Começou a carreira nos anos 70, e foi a primeira mulher a participar da ala de compositores da Mangueira. A ditadura, no entanto, lhe custou alguns sambas. Em 1974, tentou gravar uma canção cuja letra dizia "Agora tudo vai ficar barato/ Agora o pobre já pode comer". Foi censurada, sob acusação de "ironia". O mesmo aconteceu com o samba "Hora do canto geral": "Vamos acertar os ponteiros, marcando hora do canto geral." Vetada de novo.

Como ela não desistia da veia política, por alguns anos, as gravadoras é que desistiram dela: o repertório de Leci pensava demais no povo, argumentavam. Nesse ínterim, foi se tornando uma conhecida comentarista de carnaval. Mas não deixou a vida de cantora para trás. Ao longo da carreira, lançou 25 álbuns.

Anos depois, em 2004, Leci foi arrebatada de vez pela política. Tornou-se Conselheira da Secretaria de Igualdade Racial e dos Direitos da Mulher e depois deputada estadual por São Paulo em três mandatos, eleita em 2010, 2014 e 2018, defendendo a igualdade racial, a cultura popular brasileira e a pauta LGBTQ+.

Ilustra Lu

João W. Nery
1950 - 2018

João W. Nery sempre soube de uma coisa: não era mulher. Desde os quatro anos de idade, apesar de sua certidão de nascimento dizer o contrário, tinha claro que era um menino. Odiava os dias em que a mãe o levava à costureira para fazer vestidos, vivia escondendo os seios que cresciam e sofreu demais com a proximidade da "monstruação", quando viraria "mocinha".

Chegou a tentar um namorado. Foi quando teve outra certeza: ser quem desejamos é uma necessidade humana. A dor que viveu o levou a defender que as crianças deveriam receber seus nomes somente quando tivessem claro como se sentiam em relação a seu próprio gênero.

Em 1977, Nery iniciou o processo de readequação sexual. A decisão lhe custou a perda dos documentos, da cidadania e do diploma de Psicologia. Ele retirou os ovários e útero, e depois fez a mamoplastia, procedimento ainda ilegal na época para esses casos por ser considerado uma automutilação. As dez cirurgias necessárias para a transição foram realizadas às escondidas. Nery tornou-se, então, o primeiro homem trans operado no Brasil.

Sem poder exercer sua profissão, trabalhou como taxista, pintor e pedreiro. Como tinha pavor de ficar sozinho, acabou se casando quatro vezes. Aos 37 anos, quando sua companheira engravidou, ele ainda teve a oportunidade de ser pai.

Fã de Dostoiévski, em 1984, escreveu sua autobiografia intitulada *Erro de pessoa*. O tema ainda era um tabu, então nem noite de autógrafos teve. O livro foi reeditado em 2011 com outro título: *Viagem solitária*, dando início a um novo momento, em que todos quiseram conhecer mais sobre a vida de Nery.

Mesmo com câncer, ele ainda lutou pelo Projeto de Lei de identidade de gênero, conhecido como PL João W. Nery, que dá aos transgêneros o direito de mudarem seus dados pessoais nos documentos.

Marcos Vian

Joãozinho da Gomeia
1914 - 1971

João Alves de Torres Filho era homem, mas era também bicho-flor. Pai de santo da Bahia e da Baixada Fluminense, Da Gomeia dava o que falar. Era guardião do agueré, o ritmo sagrado dos orixás.

Filho de Oxóssi e de Iansã, foi um dos primeiros a levar e difundir o candomblé para o Sudeste, chegou às capas de revistas e atendeu presidentes, princesas e empresários, assim como o povo simples que frequentava o seu terreiro quilombo em Caxias, no Rio de Janeiro.

Da Gomeia nasceu em Inhambupe (BA) e, com dez anos de idade, fugiu para Salvador. Como sofria com uma intensa dor de cabeça, buscou tratamento no candomblé. No terreiro da roça Da Gomeia, aos pés de uma gameleira, aprendeu as tradições. Incorporava o Caboclo da Pedra Preta, homenageado nos afro-sambas de Baden Powell e Vinicius de Moraes.

"Pandeiro quando toca faz Pedra Preta chegar
Viola quando toca faz Pedra Preta sambar."

Com "olhos langues, corpo flexível de bailarino, agilíssimo, mas com voz mansa", foi também personagem de Jorge Amado em *Bahia de todos os santos*: "digno de palco de grandes teatros."

Aos 32 anos, Da Gomeia fez sua mudança para o Rio de Janeiro, aonde chegou, gostou e foi ficando. Com o tempo, criou um grupo de balé no qual inseriu danças sagradas. Nos carnavais, era sempre criticado por se fantasiar de mulher, mas não se importava e seguia vestindo o que bem quisesse; as indumentárias luxuosas tinham vez no seu terreiro.

Apenas dois assuntos lhe interessavam: o candomblé e o carnaval. Por muitos anos, desfilou pela Império Serrano, mas cinquenta anos após a sua morte, foi a Grande Rio que o presenteou com um desfile todinho em sua homenagem.

Marcos Vian

Miss Biá
1939 - 2020

Miss Biá nunca deixou de ser Eduardo Albarella. Mas, desde os anos 60, montava-se todo. Pegou gosto na coisa e acabou se transformando na mais longeva drag queen do país.

Albarella nasceu no bairro italiano do Brás, em São Paulo. Quando criança, nunca lhe ocorreu se vestir de mulher: era tímido e gostava mesmo era de jogar futebol com os meninos. Aos 21 anos de idade, ele se apresentou pela primeira vez após, encantado, assistir a um show de cabaré. Nunca mais parou!

Quando começou nessa arte, trabalhava como office boy durante o dia. À noite, então, colocava o despertador para a hora do espetáculo, arrumava-se com a luz apagada e escapava da casa e da família. O figurino e as joias — verdadeiras! — que usava eram emprestados pelas amigas. Ele saía pela rua trajando gala, maquiado, mas de peruca na mão, para não acharem que estava se prostituindo e o levarem preso.

Chegou a fazer até cinco shows por noite. Durante doze anos, foi estrela da Nostro Mondo, conhecida boate gay dos anos 70. Os espetáculos da época tinham direito a orquestra, roteiro e ensaio. Em um deles, Biá ganhou seu nome, por conta de uma música de Carmen Miranda, mas sua grande inspiração sempre foi mesmo a atriz italiana Gina Lollobrigida.

Uma de suas imitações mais famosas era a de Hebe Camargo, com quem também trabalhou como maquiador. Vestida exatamente como a apresentadora de TV, recebia artistas para entrevistas no sofá da boate.

Miss Biá passou a vida fazendo apresentações toda emperiquitada com os figurinos que mantinha cuidadosamente guardados. Entre eles, um vestido de veludo bordado vindo especialmente de Paris e um maiô com calda de peixe vermelho-prateada. Frequentou os palcos até 2020,

João Silvério Trevisan

1944

Quando João tinha oito anos, foi convidado para uma pescaria. Mesmo sem saber nadar, assim que chegou, foi jogado no rio, para que aprendesse a ser homem. João lutou com todas as suas forças e, quando saiu, teve uma certeza para toda a vida: sou homem sim, mas não quero ser igual a esses homens.

João Silvério foi o primogênito, então sua masculinidade era testada com violência pelo pai desde muito cedo. A solução que encontrou foi ir logo estudar num seminário.

A mãe comprava romances que ele lia nas férias. Foi assim que conheceu José de Alencar e Conan Doyle. Nos dez anos em que viveu no internato, muitas vezes chorou de solidão. Com o tempo, criou um cineclube e viveu grandes paixões. Dos colegas, sempre ouvia que esses amores iriam passar, mas aos vinte anos, ao conhecer a filosofia, entendeu que a vida de padre não lhe servia.

A partir daí, passou a escrever e fazer bicos para sobreviver e poder frequentar as casas noturnas de São Paulo, como o badalado Medieval, ou *Medi*.

Quando seu longa-metragem *Orgia ou o homem que deu cria*, inspirado em uma viagem que fez à África e à Europa, foi censurado nos anos 70, ele decidiu que era melhor ir embora do país. Na Califórnia, conheceu grupos gays organizados, o que o incentivou, no seu retorno, a criar o grupo *Somos*, um dos primeiros coletivos de homossexuais do Brasil. Fundou também o *Lampião da Esquina*, um jornal voltado para a comunidade gay brasileira. Publicou, ainda, o livro *Devassos no Paraíso*, referência sobre a história da homossexualidade no país.

João Silvério Trevisan é contista, ensaísta, roteirista, com mais de catorze livros e três prêmios Jabuti. Na sua trajetória, aprendeu que a transgressão implica muita dor, mas que abrir portas para outros compensa tamanho custo e traz uma sensação maravilhosa.

Jurema Werneck

1961

Quando ainda estudava na faculdade de Medicina, todos os dias de manhã, ao sair para o curso, Jurema ouvia de uma vizinha: "bom dia, doutora." A saudação fortalecia a jovem que, apesar das dificuldades na escola, conseguiu terminar os estudos e ser aprovada na universidade. Ali, ela aprendeu como o apoio das mulheres negras é capaz de transformar vidas.

Filha de um alfaiate e de uma costureira, neta de lavadeiras, Jurema nasceu no Morro dos Cabritos, no Rio de Janeiro. Os pais viravam a noite trabalhando nos moldes e costuras para garantir comida e estudo aos quatro filhos. Com catorze anos, sua mãe morreu, vítima de um AVC que poderia ter sido evitado caso tivesse acesso a um bom serviço de saúde e a um cuidado adequado. Era um dos primeiros grandes sinais do descaso e do racismo, que viria a combater por toda a sua vida.

Durante a adolescência, vivendo numa família que a criava com consciência crítica, foi inspirada pelos exemplos da cantora Leci Brandão e da ativista norte-americana Angela Davis. Já era, Jurema também, uma ativista. No entanto, foi só no curso de Medicina que Jurema entrou com tudo no movimento estudantil e no movimento de mulheres negras.

Terminada a faculdade, trabalhou com medicina preventiva em favelas e foi pesquisadora no Centro de Articulação de Populações Marginalizadas. Em 1992, fundou a Criola, uma organização não governamental que atua na defesa e promoção dos direitos das mulheres negras. Ainda fez mestrado em Engenharia de Produção e doutorado em Comunicação e Cultura.

Jurema tem uma potente trajetória de luta no movimento de mulheres negras e pelos direitos humanos, defendendo as causas antirracista e da saúde da população negra. É autora de livros e artigos, foi Conselheira Nacional de Saúde e, em 2017, tornou-se a diretora executiva da Anistia Internacional Brasil.

Rogéria
1943 - 2017

Sacudindo sua linda cabeleira loira, Rogéria nunca se cansou de dizer: amo ser Astolfo Barroso Pinto. Quando nasceu, brincaram que, se jogassem na parede e permanecesse grudada, seria homem; se caísse no chão, seria padre. Nem uma coisa, nem outra, Rogéria decidiu flutuar. A travesti querida pelo Brasil vivia todos seus dias assim – flanando entre Astolfo e sua melhor performance: Rogéria.

A infância foi mais fácil que a de muitos outros; sua mãe ria das manias do filho, e dizia que elas eram resultado dos muitos hormônios femininos que ela tinha passado, na gestação, ao menino Tolfinho.

Astolfo trabalhou como maquiador de artistas da TV Rio. Era uma "bicha pobre", como ele brincava sobre si mesmo, então carregava seus batons e sombras numa caixa de sapato. Maquiava atrizes do quilate de Fernanda Montenegro e Bibi Ferreira, que o incentivaram a atuar também.

Logo nasceria Rogéria, num desfile de fantasia. Um dia, perguntaram: você sabe cantar? Ela estreou em 1964 e nunca mais desgrudou dos palcos. A carreira deslanchou no exterior: em Angola, Moçambique, Irã, Espanha e França – para onde fugiu depois de ter sido censurada pela ditadura franquista. Os espanhóis só a deixavam atuar se fosse sem maquiagem ou peruca. Ainda na Europa, lhe sugeriram a cirurgia para readequação sexual, mas ela nunca quis fazer. No exterior aprendeu a comer caviar, a beber champanhe e a falar francês.

De volta ao Brasil, Rogéria ganhou o Prêmio Mambembe de revelação do teatro em 1980. Logo após, sofreu um terrível acidente de carro, que desfigurou o seu rosto. Mas isso não a tirou do prumo. Ainda atuou em novelas, como *Tieta* e *Paraíso Tropical*. Até o finzinho da vida, continuou varando as noites, assistindo a jogos de futebol e nadando na praia. Sempre a mais fina das travestis: em cima do salto; em cima do palco.

Marcos Vian

João do Rio
1881 - 1921

O primeiro jornalista moderno que o Brasil conheceu nasceu na Rua do Hospício, no Rio de Janeiro. Antes que o século XX tivesse dado as caras, Paulo Barreto já tinha começado a escrever nos jornais da cidade.

A então capital do país ganhava, assim, seu grande cronista. Ao longo da vida, Paulo Barreto foi uma multidão. Nas páginas, chamou-se Joe, Carand'ache, Claude, José Antônio José e a alcunha que o consagraria: João do Rio.

Sua obra floresceu entre as avenidas da cidade que se modernizava. Amava a rua com um amor absoluto e exagerado, como contava em seu livro *A alma encantadora das ruas*. Praticava ele o mais interessante dos esportes: era flâneur, um andarilho. Seus personagens eram estivadores, prostitutas, gente do candomblé, endinheirados das altas-rodas da sociedade. Gostava das pérolas e usava sempre o terno bem cortado, do tecido mais fino.

João do Rio também adorava comentar as "extravagâncias", como chamava os comportamentos sexuais menos comuns. "As extravagâncias sexuais em si mesmas não definem um homem como invertido", nem o oposto, escreveu.

Naquele momento, as praças e as ruas eram os únicos locais para se conhecer parceiros. O cronista frequentava tanto salões, quanto favelas, de olhos e ouvidos bem abertos para descobrir aqueles mundos. Era detestado por alguns, mas, principalmente, querido por muitos.

Um de seus sonhos era se tornar embaixador do Brasil, mas negro, gordo e efeminado, o que encontrou foram portas fechadas. Teve que seguir por outros caminhos, assim, em 1910, tornou-se imortal, ocupando uma cadeira na Academia Brasileira de Letras. Entre peças, crônicas e reportagens, escreveu mais de dois mil textos, no Brasil e no exterior. Fundou jornais e traduziu o escritor Oscar Wilde, sua grande inspiração.

João do Rio ficou famoso ainda em vida. Com quarenta anos, teve um infarte dentro de um táxi e ali mesmo morreu. Milhares de pessoas foram a seu funeral homenagear o cronista que fez da rua sua casa.

Angela Ro Ro
1949

Quando ainda nenhuma cantora brasileira tinha coragem de fazê-lo, Angela Ro Ro ousou ser a primeira a declarar que desejava — ardorosamente — as mulheres. Pagou caro: foi vítima de maledicências e de cinco espancamentos, que quase a deixaram cega.

Angela Maria Diniz Gonsalves nasceu no Rio de Janeiro em uma família que deu a ela tudo o que pôde: estudou em colégio de freira e fez aulas de piano e de acordeão até ir morar na Europa, em 1971. Em Londres, começou a compor e a cantar em inglês; chegou a gravar uma música com Caetano Veloso. Para ganhar dinheiro, trabalhava como faxineira num hospital.

Na volta ao Brasil, seu primeiro grande show aconteceu em 1976, no mítico Festival Som, Sol e Surf, em Saquarema (RJ). Angela era um nome novo na cena do rock brasileiro.

Sua inconfundível voz rouca, que lhe rendeu o apelido de Ro Ro, rapidamente a levou a gravar o álbum que se tornou um clássico da MPB, cheio de letras e músicas por ela compostas. Entre as canções, estava "Amor, meu grande amor". As músicas viraram hits, e Angela ganhou o prêmio Revelação do Ano. Em sua carreira artística, lançou mais de dez álbuns.

Ciumenta e compulsiva por música e por mulheres, bebeu e fumou tudo o que pôde, amou tudo o que conseguiu; deu e levou muito tapa na cara. Tornou-se alvo da mídia sensacionalista, que a acusava de só arranjar confusão.

Nessa época, para Ro Ro, Caetano compôs "Escândalo":

"Aprontei demais, só vendo [...]
Dou gargalhada, dou dentada [...]
Se ninguém tem dó, ninguém entende nada
O grande escândalo sou eu"

Nos anos 90, depois de superar a dor pela morte de sua mãe, ela resolveu cuidar de si. É, até hoje, uma das maiores cantoras do Brasil.

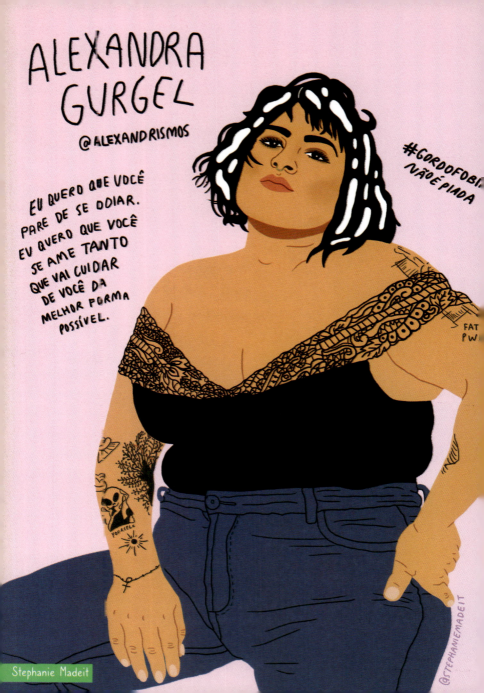

Alexandra Gurgel

1989

"Uma cultura focada na magreza feminina não revela uma obsessão pela beleza, mas uma obsessão pela obediência feminina." Quando Alexandra leu essas palavras de Naomi Wolf em 2014, algo nela fez um clique. Com uma vida de 16 anos de dietas mirabolantes e incômodo com seu próprio corpo, era hora de parar de se odiar.

Dois anos antes, Xanda ganhara de sua mãe uma lipoaspiração: saiu da operação com cinturinha, peitos de silicone, bunda empinada e infeliz, usando uma cinta que a machucava. Três meses depois, acabou engordando novamente e quase morreu. Foi quando começou a surgir a ativista antigordofobia, crítica ferrenha dos padrões e da pressão estética.

Nascida numa família do Rio de Janeiro e criada num quartel, Xanda passava o tempo enfiada nos livros e pensou até em ser freira.

Aos 25 anos, com uma carreira ascendente no jornalismo on-line, começou a fazer vídeos no YouTube falando de corpo e liberdade. Queria que outros também entendessem que a pessoa gorda pode — e deve — viver bem com seu corpo. Com essa ideia em mente, comprou um biquíni e fez um clipe na praia. Virou sucesso. No fim de 2017, já morando em São Paulo, seu canal *Alexandrismos* completou cem mil inscritos. No Instagram, já chegou a um milhão de seguidores!

Quando Xanda lançou a hashtag #gordofobianaoepiada, sua carreira disparou: deu entrevista na televisão, virou referência e garota-propaganda. Escreveu e publicou seu livro, *Pare de se odiar: Porque amar o próprio corpo é um ato revolucionário*, com 25 mil exemplares vendidos.

Nessa mesma linha, Xanda acabou criando o movimento *Corpo Livre*. E, depois de anos de relacionamentos insuficientes, descobriu-se lésbica. Foi morar com a esposa e os cães em Brasília para poder ver o céu. É, afinal, uma mulher de corpo e alma libertos.

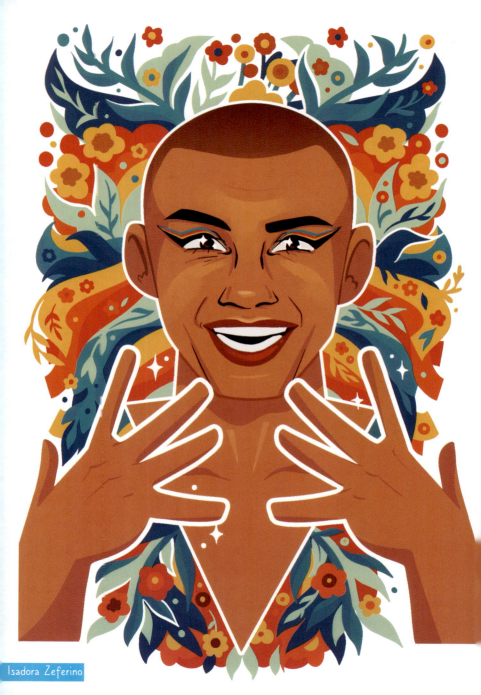

Silvero Pereira

1982

Silvero passou a infância em Mombaça, no interior do Ceará, buscando um arco-íris para atravessar. Ele tinha certeza de que, assim, poderia virar mulher e parar de ser chamado de veado, frango, doente. Na sua cidade, só havia um travesti, de quem tentou ser amigo. Mas nenhum desses esforços resultou.

Aos dezesseis anos, ele se mudou para Fortaleza, onde conheceu o teatro ainda na escola e cursou a faculdade de Artes Cênicas. Apaixonou-se ali pelos palcos. Silvero entendeu que sua missão estava em combinar o lírico do teatro com a provocação social.

Durante anos, ensinou arte para adolescentes. Nessa época, aproximou-se de um grupo de travestis e criou o coletivo As Travestidas, assim como nasceu Gisele Almodóvar, a performance do seu eu mulher. Com ela, Silvero costuma ir a restaurantes luxuosos para evidenciar o preconceito contra pessoas trans.

Seguindo sua missão, trabalhou em Porto Alegre em uma penitenciária onde Gisele Almodóvar dava aulas de teatro na ala de trans e travestis. Muitas das histórias que ouviu ali foram depois contadas na peça *BR-Trans*.

Foi durante essa temporada de sucesso que Glória Perez, célebre autora de novelas, o descobriu. Ela ficou tão encantada, que criou um personagem especialmente para Silvero na novela das nove: Nonato-Elis ficou conhecida em todo o Brasil. Famoso também ficou o cangaceiro andrógino Lunga, do filme *Bacurau*, que levou Silvero e sua Gisele ao tapete vermelho do Festival de Cinema de Cannes. Com uma imensa cabeleira loira, Gisele roubou a cena.

A mulher que Silvero carregou dentro de si a vida toda lhe mostrou o arco-íris que ele tanto procurava. Agora, só quer mesmo é ser feliz ou, como diz, "por baixo das molduras que tentaram me impor: ofereço cor".

Jean Wyllys
1974

Na noite do dia 29 de março de 2005, um grito de festa veio das janelas. Na televisão, um brasileiro mostrava que, sim, era possível viver uma história inacreditável — e aquele era apenas o começo.

Jean Wyllys nasceu filho de uma lavadeira, numa casa sem banheiro, onde chovia dentro o que chovia fora. Na infância em Alagoinhas, na Bahia, ele dizia para a mãe: um dia, eu vou para a faculdade! Com dez anos, vendia algodão-doce na praça; depois, foi aprendiz no banco. Aproveitava a biblioteca da Igreja para ler. Sua Bahia era de todos os santos e orixás.

Com quinze anos, tendo fé em Deus e na Madonna, deixou seus pais e sua cidade natal para ir estudar no colégio interno. Em Salvador, conforme prometido a sua mãe, tornou-se jornalista e professor com mestrado. Naquele momento, ele já sabia o que repete até hoje: era veado mesmo.

Um dia, de supetão, enviou uma fita gravada para o famoso programa de TV *Big Brother Brasil* e, de repente, lá estava Jean trancafiado, exposto para todo o país. Virou celebridade e, depois de uma vitória emocionante, regressou a sua cidade natal aclamado como rei, ainda foi homenageado na Parada LGBTQ+ de São Paulo.

A política, então, começou a chamá-lo. Jean se candidatou e já de primeira foi eleito deputado federal pelo Rio de Janeiro em 2010, com uma agenda de defesa dos direitos humanos e de grupos estigmatizados, como negros, mulheres e pessoas LGBTQ+. No Congresso, foi um incansável guerreiro, defendendo pautas como o casamento igualitário. Por essa e muitas outras, sofreu preconceitos de todos os lados, sem nunca hesitar. Em 2014, foi reeleito com mais votos ainda. Até que, na terceira vez, em 2018, não aguentou mais os ataques e a violência e, mesmo indo para um terceiro mandato, decidiu se afastar do Congresso e do país.

Jean virou cidadão transformador do mundo.

Daniela Mercury

1965

No início dos anos 90, por onde se andava, um grito se ouvia: "A cor desta cidade sou eu, o canto desta cidade é meu." Quando a axé music rompeu as fronteiras da Bahia e virou mania em todo o Brasil, sua grande embaixadora foi Daniela Mercury. A cantora tem mais de vinte milhões de discos vendidos.

A vida nos palcos começara uma década antes, fazendo shows em barzinhos de Salvador. Desde bem pequena, ela fazia balé e dança afro; tinha mania de dançar com uma folha na mão. Era já muzenza. À mãe, ela comunicava: "Eu devo ser de Iansã." A influência dos ritmos e dos blocos afro marca toda a sua musicalidade.

Quando o sucesso chegou, o furacão da Bahia deu a volta no mundo. A música "Rapunzel" virou hit na França e em Portugal, Daniela venceu o Grammy Latino e ainda cantou com Paul McCartney na entrega do prêmio Nobel da Paz.

Além dos grandes sucessos do Carnaval, ela inovou ao incluir ópera, orquestra e música eletrônica no "triato", seu trio elétrico. Nesses anos todos de carreira, fez 23 turnês internacionais e muitas outras Brasil afora.

Dani é puro movimento. É também embaixadora do Unicef, participando de campanhas de combate à homofobia e à exploração sexual infantil. Seu projeto social Caravana da Música levou aulas a mais de setenta mil crianças em todo o país. E o casamento com Malu Verçosa, em 2013, aumentou sua energia para lutar por mudança, por seu sonho de amor aspirando liberdade.

Mais de três décadas de sucesso, e Daniela Mercury segue a dona do canto da cidade, onde não se divide, nem se discrimina.

É dela o Carnaval.

Alexya Salvador

1980

Em 1968, Troy Perry, um norte-americano, decidiu criar um espaço para que os gays pudessem se reunir para orar; nascia ali a Metropolitan Community Church, ou, em português, Igreja da Comunidade Metropolitana (ICM), conhecida por defender a inclusão das pessoas LGBTQ+.

A história de Alexya com a ICM começou bem depois disso, mas a religião sempre esteve presente em sua vida. Com apenas sete anos, ela começou a frequentar a Igreja Católica, pois era o único lugar em que não apanhava. Participava dos encontros e foi feliz por lá até a adolescência, quando começou a sofrer violência psicológica e chegou à conclusão de que Deus não a amava. Mesmo assim, resolveu se tornar padre.

Certo dia, saindo da faculdade de Filosofia, ao ver as travestis na rua, entendeu o que sentia. Até então, Alexya não tinha muitas referências de pessoas trans. Abandonou o seminário e foi conversar com a família. O pai foi irascível e deu um soco na porta: "eu até aceito veado, mas se te vir vestido de mulher, te mato." Com tamanha rejeição, Alexya precisou de mais seis anos, a entrada para a igreja evangélica e o casamento com um homem para assumir plenamente sua vontade.

Na ICM, Alexya se tornou pastora e, em 2020, foi reconhecida como a primeira reverenda mulher transgênero da América Latina. Vestindo uma túnica azul e rosa, as cores do movimento trans, ela faz questão de dar assistência a cada uma de suas fiéis. Além da atividade clerical, dá aulas de português e de inglês e cuida dos filhos Gabriel e Ana Maria, que ganhou o mesmo nome da avó.

Para Alexya, Deus é mulher, é mãe, é amor. E pecado é somente aquilo que faz mal a você e aos outros.

Isadora Zeferino

Herbert Daniel
1946 - 1992

O mineiro Herbert Daniel teve muitas vidas de luta em uma só. Em todas foi vitorioso e alegre — a seu modo. Com 1,64 metro e bochechudo, ainda se chamava Eustáquio e era estudante de Medicina quando aderiu à luta armada. Chegou até a participar do sequestro de um embaixador. Cartazes com seu rosto traziam a palavra "subversivo".

Mudou de um esconderijo a outro por seis anos, quando também descobriu sua homossexualidade. Vivia uma dupla clandestinidade: era guerrilheiro e "guei", como costumava escrever. Não apenas a direita, como também a esquerda, não lidava nada bem com o tema. Um revolucionário que amasse outro homem não era bem-visto.

Em 1974, conseguiu fugir para o exílio com seu companheiro Cláudio. Esteve em Lisboa até 1975, depois zarpou para Paris. Herbert trabalhou como porteiro de sauna e escreveu livros posteriormente publicados no Brasil. Terminou conhecido como "o último exilado", pois seu processo de retorno ao país demorou mais que quase todos os outros. Em 1981, finalmente conseguiu voltar... E causou uma transformação.

Influenciado pelas ideias europeias, trouxe à política temas como a ecologia e a homossexualidade. Fundou o Partido Verde e se candidatou a deputado em 1986. De chacota, durante a campanha, apelidaram-no de "veado verde". Herbert fez piada da chacota. Assim era ele. Em 1989, já HIV positivo, lançou sua anticandidatura à presidência.

Herbert Daniel foi, sobretudo, uma voz ativa no combate ao preconceito contra quem tinha AIDS. Queria evitar a morte em vida pela qual passavam. Como integrante da ABIA (Associação Brasileira Interdisciplinar de AIDS), valeu-se do conhecimento que tinha da medicina para melhor informar. "Viva a vida", dizia ele. Até 1992, resistiu: lutou, negociou e transformou a história para os HIV positivos no Brasil — e no mundo.

Gabriela

Amiel Modesto

1982

Foram necessários 33 anos para que Amiel Modesto finalmente conseguisse entender o que se passava com seu corpo. E, quando entrou em contato com a realidade, ficou estupefato.

Amiel foi criado como menina por uma boa parte de sua vida. Filho de uma família de evangélicos pentecostais, nasceu com uma condição genética chamada de "insensibilidade androgênica parcial", uma das muitas variações intersexo. Tinha parte do aparelho reprodutor masculino, sem o desenvolvimento completo do órgão sexual.

Em sua primeira certidão de nascimento, estava registrado que se tratava de um menino, no entanto, com sete meses, a família e os médicos perceberam o que estava acontecendo e decidiram pelo caminho que consideravam mais simples: a retirada integral do aparelho reprodutor, a prescrição de hormônios e adequação do corpo da criança dentro do modelo sexual binário, para que fosse tratada como menina.

Mas toda essa história foi mantida em segredo. Até descobrir a verdade, Amiel acreditava na versão que conheceu aos doze anos, quando a mãe contou que não iria menstruar, nem poderia ter filhos, pois não tinha ovários e útero.

Casos de cirurgias reparadoras, como a de Amiel, são mais comuns que se imagina, pois a ocorrência de bebês intersexuais ainda é erroneamente vista como algo estranho e que deve ser "consertado". Enquanto isso, plantas e animais mostram como a intersexualidade está presente na natureza.

A cirurgia plástica a que foi submetido ainda bebê fez com que, ao longo da vida, Amiel não tivesse uma boa relação com seu corpo, afinal ele foi construído pela medicina na infância, quando foi mutilado sem seu consentimento. Cansado, certo dia, decidiu sair da igreja, raspou o cabelo, queimou o sutiã e hoje se entende como um homem trans. Fez também questão de escolher um nome não binário, que serve tanto para homem, quanto para mulher.

Amiel atualmente é sociólogo e faz doutorado em bioética, dedicando-se a pesquisar a intersexualidade e a identidade de gênero. Mais que tudo, é ativista, militando para que ninguém mais sofra as violências que viveu.

Ney Matogrosso

1941

Ney ganhou de presente da natureza uma voz fina, com um tom raro. Enquanto muitos implicavam com ele por causa disso, desde pequeno, Ney sabia que seu destino era ser artista. Desenhava no papel de pão e no chão. E cantava.

Bisneto de uma indígena e filho de um militar, nasceu Ney de Souza Pereira. Seu pai, muitas vezes, era violento, então Ney aprendeu a transgredir e resistir desde cedo. Na fazenda do avô em Mato Grosso, criava passarinho e coruja soltos dentro de casa. Era ele também parte dessa natureza.

Quando tinha dezessete anos, alistou-se na aeronáutica e deu um jeito de ir embora para o Rio de Janeiro. De lá, foi para Brasília, onde começou a ensaiar num coral.

Em 1971, uma amiga lhe avisou que estavam procurando vocalista para uma nova banda em São Paulo. Nascia ali Secos & Molhados, que romperia com tudo o que se conhecia até então. Ney se apresentava com o rosto pintado, rebolando, vestido com tanga, penas e conchas. Exalava desejo e dor enquanto cantava "O Vira", "Sangue Latino", "Rosa de Hiroshima".

A banda estourou imediatamente, fazendo shows até no exterior. No auge da repressão da ditadura, Ney, que nunca fora da luta de armas, liderava a revolução pelo desbunde. Mas durou pouco, e ele partiu para a carreira solo.

Ney Matogrosso foi um sobrevivente da epidemia de AIDS, que vitimou seu companheiro e também grande amigo Cazuza. Seguiu a vida dedicado a sua arte, cantando o que gosta — música popular, sambas, boleros —, com imenso sucesso. Ainda teve tempo de abraçar e se tornar amigo de seu pai.

Um ser erótico, Ney rejeita qualquer classificação que limite seu desejo. Pelo seu sangue latino, até hoje, só corre a liberdade.

1986

Desde pequena, Katú não conseguia se identificar com o seu entorno. Esse estranhamento durou até os treze anos de idade, quando ela descobriu sua origem indígena. Seus gostos e sua existência passaram a fazer sentido.

Katú é uma indígena urbana do povo Bororo, etnia original de Mato Grosso. Katú é também ativista, mãe de uma menina, bissexual e rapper.

Nascida na periferia de São Paulo, desde a escola, ela já escrevia letras em um caderno que considerava sua ilha protegida, no qual podia falar das coisas em que acreditava. Os pais adotivos não permitiam que ela ouvisse outra música que não a evangélica. Contrariando as proibições, começou a participar de batalhas de hip-hop.

Naquela época, ainda reprimia tanto a atração por mulheres, quanto os traços indígenas do seu corpo. Até o dia em que foi convidada para participar de um protesto em favor da causa indígena. Desde então, nunca mais se afastou. Decidiu procurar uma aldeia Guarani em São Paulo e, pelas mãos do pajé, ganhou o nome de Katú, que não tem gênero e significa "coisa boa". Ele a ensinou que, apesar de toda a violência sofrida, a luta precisa incorporar a bondade.

Katú combina o poder sagrado do som com a atitude política do rap. Nas suas músicas, que misturam trechos em guarani, ela evoca referências indígenas e desconstrói estereótipos.

"Maracas, cocares, tambores, turbantes
A Terra tremerá, como nunca tremeu antes"

Em 2017, Katú ficou conhecida pela campanha #indionaoefantasia, que criticava a tradicional fantasia de carnaval. Dois anos depois, criou o coletivo que reúne indígenas LGBTQ+. A ele foi dado o nome de Tibira, em homenagem a Tibira do Maranhão, tupinambá considerado o primeiro brasileiro vítima de homofobia, em 1614.

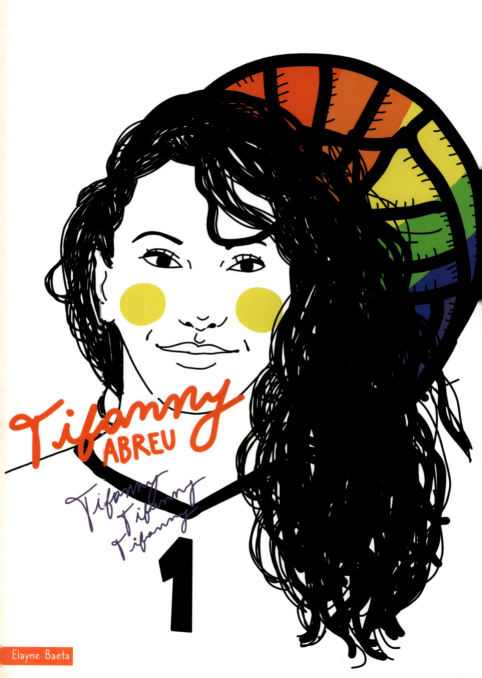

Tifanny Abreu

1984

No dia 19 de fevereiro de 2017, Tifanny Abreu entrou em quadra jogando pelo Golem Volley Palmi, time da segunda divisão do campeonato italiano. Foi sua estreia numa equipe feminina, mas não no vôlei. Os 28 pontos que marcou a consagraram como a melhor jogadora da partida.

Tifanny nasceu no interior do Tocantins e foi criada no Pará. A paixão pelo vôlei surgiu em 1996, enquanto assistia ao Brasil jogar contra Cuba, nas Olimpíadas de Atlanta. A família já tinha conseguido comprar uma televisão, então ela não precisava mais assistir aos jogos na casa da vizinha. Foi também a TV que lhe trouxe outra informação. Ao ver a transgênero Ramona, interpretada por Claudia Raia na novela *As Filhas da Mãe*, decidiu que, assim como a personagem, sairia do país e, quando voltasse, seria uma mulher.

Com 1,94 metro de altura, Tifanny começou a jogar num time local. Em seguida, foi para equipes brasileiras da segunda divisão do vôlei masculino, como o Juiz de Fora, mas foi na Europa que sua carreira se consolidou.

Em 2013, depois de ter passado por Portugal e Bélgica, decidiu que era o momento de fazer a readequação sexual. Aquele corpo não lhe servia mais.

Nos primeiros seis meses do tratamento hormonal, sentiu que perdia força, velocidade e resistência. Depois, vieram as cirurgias. Ao fim de todo o processo, Tifanny viveu um dilema: não conseguia mais integrar times masculinos; nem permitiam que jogasse nos femininos.

Em 2017, finalmente, recebeu autorização da Federação Internacional de Vôlei para disputar campeonatos femininos, caso mantivesse a testosterona baixa.

Em dezembro do mesmo ano, Tifanny fez história. Tornou-se a primeira transgênero do vôlei feminino brasileiro ao estrear no Bauru, pela Superliga, a elite do nacional esporte.

Felipe Guatiello

Madame Satã
1900 - 1976

"Pederasta passivo," "bicha desenxabida," "proxeneta," "ladrão," "assassino," "elemento nocivo à sociedade." Todas essas alcunhas foram dadas a João Francisco dos Santos, o Madame Satã, que totalizou 27 anos e oito meses de prisão, resultado de 29 processos, por homicídios, agressões, furtos, ultraje ao pudor. O malandro da Lapa se transformou em um ícone, adorado e temido, nos muitos anos que viveu.

Analfabeto de pai e mãe, ele nasceu no sertão de Pernambuco. Com sete anos, foi dado por sua mãe em troca de uma égua. Satã escapou para o Rio de Janeiro e foi trabalhar para garantir o prato de comida. Logo passou a viver nas ruas, onde, de bico em bico, virou garçom num bordel.

Era bom de briga, então fazia a segurança dos bares. Quando deixavam, ainda se apresentava em shows travestido de mulher. Filho de Iansã e Ogum, também era devoto de São Jorge e de Josephine Baker, a Vênus negra.

Em 1928, após ser ofendido e brigar com um guarda-noturno, João acabou acertando-lhe um tiro. Foi condenado a dezesseis anos de prisão, tendo cumprido apenas dois. Já em liberdade, ele desfilou no bloco Caçadores de Veado com uma fantasia de morcego inspirada no filme *Madam Satan*, de Cecil B. DeMille. O apelido pegou.

Muitos anos depois, numa célebre entrevista ao jornal *O Pasquim*, em 1971, perguntaram-lhe sobre o episódio do tiro: "Foi a bala que matou?" Ao que ele respondeu: "Não, a bala fez o buraco. Quem matou foi Deus."

Satã viveu sua vida toda entre a Lapa e a Ilha Grande, entre prisões e liberdade, lutando contra a opressão policial. Acabou conhecido como o último guerreiro da Lapa boêmia. Era marginal e era herói. E, definitivamente, era homossexual. Quanto a isso, aliás, nunca hesitou: "Sempre fui, sou e serei."

Rosely Roth
1959 - 1990

O 19 de agosto marca o Dia do Orgulho Lésbico. E a história por trás dessa data tem como mentora Rosely Roth, pioneira do movimento lésbico feminista no Brasil.

Naquele dia, em 1983, em plena ditadura, o país viveu sua versão de Stonewall, quando mulheres lideradas por Rosely ocuparam o Ferro's Bar, ponto de encontro de lésbicas. Na semana anterior, elas tinham sido expulsas enquanto vendiam o jornal *ChanacomChana*. Sobre as cadeiras, Rosely discursou contra o preconceito.

Rosely Roth nasceu em São Paulo, em uma família judia. Cursou Filosofia e Antropologia. Em 1981, junto com Míriam Martinho, fundou o Grupo de Ação Lésbico-Feminista (GALF). O movimento lésbico no Brasil havia iniciado sua organização dois anos antes, como uma extensão do movimento gay.

Uma das principais ações do GALF era a publicação do *ChanacomChana*, que chegou a circular trimestralmente entre os anos 1982 e 1987. No jornal, eram discutidos temas como a invisibilidade da mãe lésbica, o movimento feminista lésbico internacional, mercado de trabalho e sexualidade.

O episódio do Ferro's Bar deu notoriedade a Rosely, uma das poucas mulheres que se assumia lésbica publicamente, numa época em que a homossexualidade ainda era considerada uma doença. Ela, então, foi convidada para uma entrevista no programa de TV de Hebe Camargo, o que deu bastante visibilidade ao movimento.

"Somos um grupo pequeno, mas a gente existe; a repressão que sofremos, o policiamento, é o que nos faz mal", disse ela, em cadeia nacional.

Rosely também tentou influenciar a mudança da Constituição, em 1988, defendendo a participação ativa na política: "Sem uma organização coletiva, nossas propostas dificilmente terão um alcance sequer razoável."

Em 1990, abatida pela depressão, Rosely Roth decidiu não mais viver. No entanto, deixou sua marca na história: vinte anos depois do episódio do Ferro's Bar, em 2003, foi instituído o Dia do Orgulho Lésbico.

Dzi Croquettes

1972

Treze homens, com purpurina nos lábios e pelos em corpos praticamente nus, dançavam sobre o palco, vestidos com asas gigantes de borboleta ao som de "Assim Falou Zaratustra". Nem homens, nem mulheres, nem trans, eram as internacionais Dzi Croquettes, grupo andrógino, performático que revolucionou os palcos brasileiros nos anos 70.

O grupo teve início em 1972, quando Wagner Ribeiro, conversando com alguns amigos artistas, sugeriu que criassem um espetáculo de cabaré e dança misturado com carnaval. A eles, juntou-se o já famoso bailarino Lennie Dale. O nome nasceu do grupo norte-americano *The Croquettes*, só que o "the" se transformou em "dzi" em português. A primeira apresentação foi numa boate da Lapa, no Rio de Janeiro.

Para além dos palcos, moravam todos os treze homens juntos, dividindo as funções da casa. Inventaram que eram uma família e que cada um tinha um papel: eram pai, mãe, filhos, tias... As performances eram ensaiadas, mas se transformavam ao longo dos dias, sempre virando espetáculos com dança, humor e ironia.

O grupo estourou no Rio e em São Paulo, mas, depois de um tempo, o show acabou censurado. Em 1973, a célebre revista *Manchete* contava: "As (ou os?) Dzi Croquettes são além da imaginação, impregnadas(os) de uma mistura de ridículo, surrealismo, nostalgia e badalação." Eram inspiradores! Eram sexys! Eram um sucesso!

As internacionais decidiram, então, atravessar o oceano de navio rumo a Portugal, onde chocaram a sociedade andando de batom e saia pelas ruas de Lisboa. Em Paris, conquistaram as plateias, tornando-se os queridinhos da crítica, depois de serem apadrinhados por Liza Minnelli. Artistas do mundo inteiro queriam conhecer a performance dos Dzi.

Pouco após a volta para o Brasil, o grupo acabou se dissolvendo, mudando, morrendo, renascendo... Mas suas performances permaneceram inesquecíveis, como se as internacionais fossem, para sempre, borboletas sobre o palco.

Márcia Rocha

1964

Representante de diversidade sexual desde 2011, Márcia estava dando uma palestra pela Ordem dos Advogados do Brasil, a OAB, em 2013 quando, ao fim do evento, uma participante perguntou por que não conseguia encontrar seu nome entre as pessoas filiadas à Ordem. Márcia, como fizera outras vezes, explicou: "Aqui ainda uso meu nome de nascimento." Mas a verdade é que aquilo já a estava incomodando havia algum tempo. Foi então que tomou corpo a ideia de entrar com um pedido na OAB para que ela, uma mulher trans, pudesse usar o nome social.

Desde os cinco anos, mesmo sem permissão, era com as meninas que Márcia queria estar nas brincadeiras. Assim, decidiu que teria uma vida pública agindo como se espera de um menino, porém, trancada no quarto, usava maquiagem e pegava as roupas da mãe. A família via de longe e tentava, a seu modo, protegê-la.

Foram necessários muitos anos para que Márcia sentisse que sua vida estava estruturada e, assim, tivesse segurança para assumir sua transgeneridade ao mundo. Já advogada e empresária bem-sucedida, com quase quarenta anos de idade e dois casamentos, avisou à filha que estava pronta para essa mudança. Ela queria ver a si mesma ao olhar no espelho, ainda que tivesse a consciência de que, se sua relação consigo mesma melhoraria, lidar com o mundo ficaria mais difícil.

Naquele momento, mesmo segura quanto a sua decisão, trabalhando com imóveis, contratos e, principalmente, por conta dos impactos na vida da filha, acreditava que mudar todos os documentos seria uma odisseia. Aos olhos da lei, a mulher de longos cabelos castanhos permanecia com o nome de antes.

O processo da Ordem dos Advogados correu lento, mas em 2017, Márcia se tornou a primeira advogada trans a oficialmente usar o nome social na OAB. No meio do percurso, fundou a Associação Brasileira de Transgêneros e o Projeto Transempregos; ganhou um assento na World Association for Sexual Health e passou a advogar também para pessoas trans, aumentando sua paixão pela advocacia.

Isadora Zeferino

Ludmilla

1995

Ludmilla aprendeu a cantar ainda menina; o padrasto era fã de pagodes e sempre a levava junto. Enquanto ele tocava pandeiro, ela entoava umas músicas. Depois, seguia para um terreno atrás de sua casa e fingia que o matagal era sua plateia.

Mas foi MC Beyoncé, codinome de Ludmilla Oliveira da Silva, quem despontou para o planeta. O ano era 2012, e a menina da Baixada Fluminense, no Rio de Janeiro, virou popstar no YouTube cantando um funk sensual.

O nome Beyoncé não foi por acaso: há meses, Ludmilla tentava imitar a cantora diva que via no DVD; repetia e improvisava o inglês como podia. Com quinze anos, ela já tinha composto sua primeira música, mas morria de vergonha. Até que um dia, um amigo que era DJ insistiu que Ludmilla lhe mostrasse sua canção, e ela, escondida atrás da porta, cantou. A música era "Fala mal de mim".

O vídeo estourou e, com apenas dezoito anos, MC Beyoncé chegava a fazer sessenta shows por mês; até sete espetáculos por dia. Na primeira vez em que subiu num palco para tocar para vinte mil pessoas, lá de cima, Ludmilla só pensava: tudo isso é pra mim?

E era.

Com o sucesso, logo virou MC Ludmilla, mas precisou mudar o nome assim que assinou um contrato com uma gravadora estrangeira. Perdeu o MC, mas ganhou um mundo na música. Nessa mesma época, deu início a um processo de transformação. Fez quantas cirurgias plásticas quis para adaptar seu corpo a seu sonho. E seguiu cantando, fazendo um sucesso enorme.

Na pele, Ludmilla traz tatuado: "Viver cada segundo como nunca mais." Ela, então, não tem medo de passar vergonha, de falar o que pensa, de ser quem é. Chegou chegando, passou com o bonde e, em 2019, assumiu o namoro e se casou com a bailarina Brunna Gonçalves.

1960

Leitura, escrita, agulha e linha: essas eram as diversões do pequeno Almir. Nascido no Rio de Janeiro, filho de um militar, ele logo aprendeu a escrever e, com oito anos, foi quem ensinou a mãe a assinar o próprio nome. Era educador. A mania de costura veio com uma parenta que morava na casa para ajudar nas tantas gravidezes da mãe. Era costureiro.

Almir tinha quinze anos quando sua mãe faleceu por complicações em um dos partos. Assim, acabou se tornando responsável pela criação de seis irmãos. Virou até pai do bebê que sobreviveu.

Na parte da manhã, ele trabalhava na fábrica de tecidos; à noite, estudava. Quando sobrava tempo, tirava uns trocados redigindo e lendo cartas para os vizinhos. O pai detestava seus modos, principalmente a costura, mas Almir resistia.

Do ensino técnico de Enfermagem, partiu para a faculdade de Pedagogia. Aproveitava o que aprendia para dar aulas comunitárias. Quando terminou o curso, pôde seguir o sonho de estudar Belas-Artes e logo migrou para a importante Escola de Artes Visuais do Parque Lage, onde aprendeu que fazer roupa era também uma forma de se expressar: utilizava palha, terra, barro.

Mais ou menos nessa época, Almir entendeu que era gay e decidiu que faria disso sua luta no mundo. Desde então, teve uma pequena loja, trabalhou em marcas famosas, conheceu muitas pessoas importantes, fez curso em Nova York. Sobretudo aprendeu como transformar a moda, sempre com um olhar social.

Hoje é dele o Empório Almir França, que desenvolve o Projeto Eco-moda, de moda sustentável, presente em favelas cariocas e no interior do Rio. Assim como criou a Escola de Divines, um curso de formação em moda voltado para pessoas travestis e transgêneros. Almir também preside o Grupo Arco-Íris de Cidadania LGBT e tem quatro bisnetos.

Marco Nanini

1948

Marco Nanini é um homem de teatro. Apaixonado. Devoto. Em toda a sua carreira, que começou no teatro infantil, foram mais de quarenta peças, vinte filmes, dezenas de novelas e programas de televisão; além de muitos prêmios. Foram também catorze anos como o personagem Lineu, o adorável patriarca do seriado *A Grande Família*.

Foi nas brincadeiras de criança que ele viveu seus primeiros ensaios de atuação; o segundo palco em que atuou foram as leituras na missa. Conseguia se concentrar e reconhecer a plateia.

Nascido no Recife, fez do Rio de Janeiro sua cidade. Quando chegou à escola de teatro, ficou encantado. Os palcos lhe deram sentido à vida.

Nanini fez bico em hotel e em banco até estrear profissionalmente como ator. Naquela época, muitos atores estavam indo trabalhar na televisão. Ele começou como figurante na novela *A ponte dos suspiros*. Dois anos depois, em 1971, interpretou seu primeiro personagem com nome: o cineasta Julinho, em *O Cafona*.

Foram justamente as novelas, tal como *Brega e Chique*, que o fizeram conhecido em todo o país. Mesmo assim, Nanini demorou a se sentir à vontade e perder o medo da TV, até porque a televisão deixa gravada cada uma de suas performances. Já o teatro sobrevive apenas na memória do espectador.

Em 1986, ao lado de Ney Latorraca, estreou na peça *O Mistério de Irma Vap*, na qual trocava de roupa 56 vezes, interpretando vários personagens, homens e mulheres. Acabaram indo parar no Livro dos Recordes pelos onze anos em cartaz com o mesmo elenco. Na TV e no cinema, Nanini também interpretou personagens célebres, como o bom marido de Dona Flor e o político Odorico Paraguaçu.

Aos 63 anos de idade, ele decidiu que era importante falar publicamente sobre sua homossexualidade, pois andava preocupado com a onda de violência contra gays. Com seu doce coração, mais uma vez, cumpriu com maestria seu papel.

Anahí Guedes de Mello

1975

Anahí já era adulta quando ouviu pela primeira vez o som do bem-te-vi. Também não era mais criança quando viveu outra experiência transformadora: assistir a uma orquestra de baterias.

Nascida em Florianópolis (SC), ela é doutora em Antropologia Social, referência internacional em pesquisas de gênero e deficiência.

Anahí foi diagnosticada com surdez ainda criança. Quando estava com três anos de idade, a família decidiu viajar até São Paulo para fazer uma cirurgia que tentasse impedir sua piora. O intento foi em vão, e ela acabou perdendo completamente a audição do ouvido esquerdo, mantendo somente 10% da capacidade do ouvido direito.

Anahí foi alfabetizada primeiramente por sua mãe e, só depois, teve que enfrentar a escola. A adolescência, que já é difícil para qualquer um, foi um momento muito complicado, agravado pelos problemas que tinha com o pai. Para fugir do ambiente tenso, ela mergulhou nos livros.

Ao entrar para a faculdade de Química em 1996, trabalhando com computadores, percebeu como a tecnologia era capaz de proporcionar novas formas de comunicação. A linguagem dos sinais não lhe parecia suficiente para conhecer o mundo. Depois de alguns anos, trocou a Química pela Antropologia.

Com 32 anos, quando já cursava Ciências Sociais, estava pesquisando com uma colega quando, na saída do trabalho de campo em uma boate LGBT, recebeu dela um beijo; ali se descobriu lésbica.

Entre muitos dos seus campos de estudo, Anahí propõe refletir sobre como as pessoas com deficiência são tratadas como incapazes em diversos âmbitos, inclusive para exercerem sua sexualidade.

Anahí é surda com acesso a sons. É também mulher, lésbica, *defiça* e implantada coclear, usando um artefato tecnológico para ouvir melhor. Nas horas vagas, coleciona brinquedos em miniatura de personagens de quadrinhos e de filmes.

Leilane Neubarth

1958

Quando Leilane tinha treze anos, a escola passou como tarefa que fizesse uma entrevista. A mocinha nem pensou duas vezes: pegou o telefone, ligou para seu autor preferido, Jorge Amado, e pediu que ele respondesse umas perguntas. Essa foi sua primeira entrevista numa carreira que já soma mais de quarenta anos de televisão.

Dona de olhos azul-cristal e cabelos de fogo, Leilane passou a infância no Rio de Janeiro, mas se mudou para Brasília, onde completou a faculdade de Jornalismo. Desde os dezenove anos, trabalha na TV Globo fazendo reportagens especiais e cheias de aventura; foi e é apresentadora de diversos telejornais, como o *Jornal Hoje*, o *Bom Dia Brasil* e o *Jornal da GloboNews*.

Entre as suas muitas e ousadas andanças como repórter, foi a primeira latino-americana a competir no Rali Granada-Dakar, numa equipe de caminhão, em 1999. A peripécia, para além das reportagens diárias na televisão, foi contada no livro *Faróis de Milha*. Desde os 24 anos, tirando dias de chuva, Leilane usa a moto como meio de transporte.

Sua carreira traz inúmeras histórias de grandes coberturas jornalísticas. Fez reportagens durante o primeiro Rock in Rio, em 1985, e dizem até que foi a responsável por cunhar o termo "metaleiro", para os fãs de rock pesado. Entrevistou presidentes, acompanhou Olimpíadas, assim como dezenas de desfiles de Carnaval no Sambódromo da Marquês de Sapucaí. Também contou histórias comoventes, como a das vítimas do acidente nuclear de Chernobyl que foram se tratar em Cuba.

Leilane, que foi mãe no início da carreira, tem dois filhos adultos e um neto. Passados já alguns anos de muita vida, decidiu se juntar a uma companheira. Com uma estrada sólida, a menina-repórter hoje já se permite, diante de uma história triste, chorar em frente às câmeras.

André Fischer

1966

O Brasil — e o mundo — ainda viviam os efeitos da epidemia de AIDS quando André Fischer criou um evento transformador da cultura gay no país. Em 1993, inspirado pelos festivais internacionais, aconteceu o primeiro MiX Brasil, um festival de cinema com temática voltada para o público gay, ou GLS, termo cunhado por André na época e que acabou se espalhando. Era o momento de encontro entre Gays, Lésbicas e Simpatizantes.

Filho de uma família ligada à cultura, André sempre acompanhava os pais nas mostras de cinema no Rio de Janeiro. Mesmo tendo feito faculdade de Economia, logo entendeu que a vida careta das corporações não servia para ele.

Morou fora do país e, de regresso, montou uma produtora em São Paulo. Uma das primeiras iniciativas foi organizar um pequeno evento chamado Jovens Artistas contra a AIDS, o JACA. O MiX Brasil veio logo depois, quando André tinha ainda 28 anos. O festival, que aconteceria apenas no Rio, foi cancelado por motivo de homofobia. Resultado: em protesto, doze cidades decidiram recebê-lo.

De 1993 até hoje, 51 municípios, em 24 estados brasileiros, já sediaram o evento, que atualmente mistura música, teatro, conferências e encontros. O MiX foi um dos primeiros espaços em que pessoas GLS puderam flertar fora do ambiente das boates. Todo mundo amava dar pinta nas filas do festival.

Mais ou menos na mesma época, André criou a primeira rede social on-line dedicada a esse público, o portal MixBrasil, pioneiro e líder na América Latina. A conexão digital ajudou milhares de pessoas a se descobrirem. Até hoje, muitas lhe escrevem agradecendo.

Em quase três décadas de existência, organizado e renovado pelas mãos de André, o Festival MiX Brasil de Cultura e Diversidade continua sendo um espaço fundamental de resistência e de vida plural no Brasil.

1951

Até que chegou o dia em que Laerte olhou para si mesma e pensou: esta imagem no espelho não é mais a minha. Isso aconteceu faz pouco, quando a história de Laerte — dA Laerte — já tinha muita vida.

Nascida em São Paulo, numa família de quatro irmãos, passou pelas faculdades de Comunicação e de Música, mas foi um curso de desenho que lhe deu o instrumento para que se tornasse, no futuro, uma das mais importantes cartunistas do Brasil.

Nos idos dos anos 70, Laerte fundou a revista *Balão* e, pouco depois, começou a publicar em grandes jornais, combinando esse trabalho com o apoio que dava a sindicalistas e presos políticos. Integrou o movimento que renovou o humor, levando escracho e crítica de costumes para os quadrinhos. Personagens icônicos como os Piratas do Tietê, seu alter ego Hugo Baracchini e Los Tres Amigos nasceram de suas mãos e ideias.

Já sua vida amorosa começou clandestinamente, com homens. Entretanto, acabou se casando com a primeira namorada. Teve mais dois casamentos, dois filhos e uma filha.

Laerte já estava perto dos sessenta anos quando sentiu que precisava mudar. Ela vivia um momento de introspecção com a morte de um de seus filhos, o que a levou a refletir sobre sua obra. Nesse processo de transformação, decidiu que passaria a vestir roupas femininas e a usar maquiagem, tendo as unhas sempre pintadas. Quando se depilou pela primeira vez, começou a se ver por inteira. Seu personagem Hugo se tornava Muriel.

A porta que ela abriu expandiu completamente suas fronteiras. Passou a conhecer novas linguagens e se tornou uma referência no tema. Em 2012, foi uma das fundadoras da Associação Brasileira de Transgêneros.

Mesmo diferente, A Laerte continua a mesma subversiva: questionadora, indefinível e detestando caixinhas.

Carolina Carvalhal

Marielle Franco
1979 - 2018

O Brasil é um dos países do mundo com menor participação de mulheres na política. Mas houve uma mulher, de sorriso e coração abertos, que rompeu esta barreira — e tantas outras. Marielle Franco, eleita vereadora do Rio de Janeiro em 2016 com mais de 46 mil votos, foi assassinada a tiros no segundo ano de seu mandato e virou um ícone mundial de luta.

Marielle era negra, mãe, bissexual e cria da favela da Maré, no Rio de Janeiro. Trabalhou desde cedo: foi camelô, dançarina de funk e assistente de creche. Era guerreira. No meio disso tudo, em 1998, mesmo ano em que nascia sua filha, encontrou tempo para estudar e passou no vestibular de Ciências Sociais. A dor pela perda de uma amiga, morta por bala perdida durante um tiroteio, marcou a entrada de Marielle na luta por direitos humanos.

Sua militância era para criar uma nova história para a favela. Aos poucos, foi se tornando uma liderança política, referência para outras mulheres, para o movimento negro e para as causas de lésbicas e bissexuais. Foi coordenadora da Comissão de Defesa dos Direitos Humanos e Cidadania e ainda completou um mestrado em Administração Pública.

No seu mandato, covardemente interrompido, apresentou projetos contra o assédio, de direito à creche e de defesa ao atendimento humanizado nos casos de aborto legal. Era uma ferrenha combatente dos abusos policiais.

Em seu último discurso, no dia 8 de março, Marielle falou da violência contra as mulheres, principalmente lésbicas e negras. E avisou: "vai ter que aturar mulher negra, trans, lésbica ocupando os espaços. Não serei interrompida." Trabalhou até o dia de sua morte, quando foi alvejada dentro do carro junto de seu motorista, Anderson Gomes. O caso ainda não foi completamente explicado.

O assassinato levou milhares de mulheres às ruas, no Brasil e no mundo. Marielle Franco virou nome de parque em Paris, sua imagem estampa protestos em toda a América Latina. A cria da Maré se tornou símbolo internacional da luta pelos direitos das mulheres.

Hoje e sempre. Marielle Franco, presente!

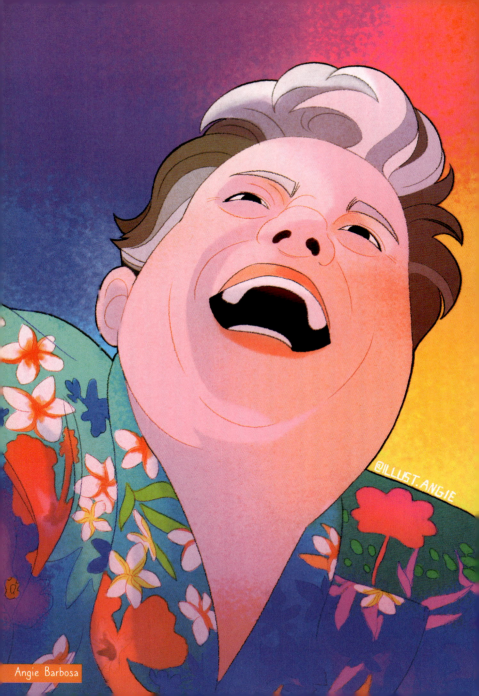

Milton Cunha

1962

O pequeno Milton, nascido em Belém do Pará, era considerado um caso perdido por muitos, mas, mesmo criança, ele já sabia que perdidos estavam os outros. Milton era apenas original, e não negociaria *ja-mais* mudar quem era. "Nasceu bichinha", como ele sempre diz. Os amigos implicavam, os pais não sabiam como lidar, e ele tinha a *cer-te-za* de que ninguém gostava dele. Mal sabia esse povo que a figura pintosa, que é um *lu-xo*, acabaria se tornando das mais queridas vozes do Carnaval no Brasil.

Milton passou a juventude na espera de partir. Ainda menino, um desfile do carnavalesco Joãozinho Trinta na televisão tinha feito seus olhos brilharem. Foi conquistado. Em 1982, formou-se em Psicologia e debandou o mais rápido que pôde para o Rio de Janeiro. Com apenas alguns trocados no bolso, seu plano era trabalhar com arte — fosse ópera, teatro ou cinema. No dia da partida, choravam ele e o pai durante todo o caminho para a rodoviária, mas Milton embarcou mesmo assim.

No início de vida no Rio, ele teve que ralar *mui-to*, mas acabou dando tudo certo. Em 1993, venceu um concurso de carnaval. Com isso, entre 1994 e 2010, foi carnavalesco das mais importantes escolas de samba do país, entre elas a Beija-Flor, a União da Ilha, a São Clemente e a Viradouro. Sua trajetória é *ba-fô-ni-ca*.

Quando não estava nos barracões, Milton Cunha estava estudando o carnaval: completou mestrado e doutorado em Letras, pesquisando as obras de Joãozinho Trinta e Rosa Magalhães, grandes carnavalescos que o antecederam.

Como gostava de novidade, queria mais: decidiu se oferecer para ser comentarista de carnaval. Virou o queridinho das transmissões, *di-van-do* nas noites da Marquês de Sapucaí, com seu terno purpurinado.

Todos os dias, Milton Cunha se olha no espelho e diz: "bom dia, belezura." Ele sabe que a vida é para ser vivida com brilho e prazer.

Amanda Nunes

1988

Quando perguntam a Amanda Nunes qual lugar ela ocupa no ranking, a lutadora não hesita: sou a melhor de todos os tempos. A "Leoa" é fera! Em 2016, ganhou o cinturão da categoria peso-galo e, em 2019, o da peso-pena, ambas categorias do Ultimate Fighting Championship, popularmente conhecido como UFC, a maior competição de MMA (Mixed Martial Arts) do mundo.

Desde pequena, Amanda tinha a mania de brincar de brigar na escola em Pojuca, onde nasceu, na Bahia. A mãe, então, mandava que a menina jogasse futebol para gastar a energia que sobrava. Foi a irmã que um dia comentou: "Amanda, você precisa conhecer o jiu-jítsu." As lutas não eram novidade para ela, que já tinha acompanhado seu tio em algumas competições de vale-tudo.

Curiosa, Amanda correu até a academia e conseguiu uma mensalidade gratuita; foi amor à primeira vista. Em uma semana, já estava competindo. Depois, mudou-se para Salvador para se preparar ainda mais.

Dia de treino era todo dia. Aceitava participar de toda e qualquer disputa — até mesmo quando o prêmio era um quimono. Investindo na carreira, em 2010, foi para os Estados Unidos. No início, dormia na academia e passava frio quando chegava o inverno. Em compensação, aprendeu a lutar jiu-jítsu, judô, wrestling, kickboxing e muito mais.

Adaptar-se à vida fora do Brasil foi dureza, mas Amanda manteve a guarda. Na primeira luta em um grande torneio nos EUA, venceu por nocaute em apenas catorze segundos. Teve início, então, uma sequência de vitórias.

Com sorriso largo e uma disposição sem fim, a Leoa acabou conquistando sete cinturões. E, mesmo sentindo dores pelo corpo inteiro, chora quando pensa em parar.

Em 2020, realizou um sonho para além do octógono: com sua companheira, tornou-se mãe da menina Reagan.

Mãe Stella de Oxóssi
1925 - 2018

Stella de Azevedo dos Santos tinha ainda catorze anos e mal entendia o que estava acontecendo quando foi iniciada para o *oríya Òyosi*, o orixá caçador. Muitos anos depois, em 1976, foi a escolhida dos búzios para ser a quinta iyalorixá do Ilê Axé Opô Afonjá, nomeada Mãe Stella de Oxóssi.

Nascida em uma família de classe média de Salvador, Mãe Stella era bisneta de portugueses e de africanos. Gostava de dizer que carregava todas as cores: "Não sou branca, não sou negra. Sou marrom." Esse encontro marcou sua passagem no candomblé. Misturando português e yorubá, ela fazia questão de registrar, por escrito, a sabedoria ancestral da tradição oral do povo africano, para que não se perdesse. Era uma *iyáloríya* das letras. O sacerdócio e a escrita combinavam, ainda, com o trabalho como enfermeira sanitarista.

Seus livros trazem histórias do candomblé, narrativas de Oxóssi, manuais de ritual. Mãe Stella também escrevia artigos de jornal e chegou até mesmo a criar um canal on-line e um aplicativo, quando já ultrapassara seus noventa anos.

A sabedoria e a astúcia do seu orixá a ajudaram a levar o matriarcado dos terreiros para os salões. Foi doutora *honoris causa* pela Universidade Federal da Bahia, integrante do conselho universitário e da Academia Baiana de Letras, ocupando a cadeira 33, de Castro Alves.

No fim da vida, uniu-se afetivamente à filha de santo e psicóloga Graziela Dhomini, com quem viveu por treze anos.

Mãe Stella costumava dizer que quem tem tempo faz a colher e borda o cabo. Cuidando de suas filhas e de seus filhos por tantos anos e registrando sua história, ela fez muito mais que isso.

Linn da Quebrada

1990

"Eu quero saber quem é que foi o grande otário
que saiu aí falando que o mundo é binário, hein
Sabe a minha identidade? nada a ver com genital"

Quem é Linn da Quebrada, autora desses versos, depende do dia, da emoção, da companhia? Linn é performer, cantora de funk, cantora de pop, compositora, apresentadora, atriz. É contundente, paradoxal; potência e destruição. Linn, que já foi Lara e é também Lina, é um ser feminino, uma mulher com pinto e pelos, um corpo em constante mudança e construção, ou, como diz de si mesma ao menos por enquanto, uma "bixa travesty".

Nascida na capital de São Paulo, mas criada no interior por uma família de Testemunhas de Jeová, Linn sempre foi da periferia, dessa quebrada que lhe batizou. Começou a vida artística dando vazão a suas inquietudes, fazendo performances na rua, nas quais questionava os limites e possibilidades do corpo fora da norma.

Aos 24 anos, enfrentou um câncer e a quimioterapia ao longo de três anos. Perdeu o cabelo, as sobrancelhas e até hoje traz no colo as marcas do tratamento.

A fragilidade a fez repensar o estranhamento provocado pela performance. Sua arte pedia outros modos de aproximação. Encontrou, então, a trilha da música, que passou a lhe dar força para viver e para lidar com o medo de ser rejeitada.

A partir de 2017, sua estrela começou a brilhar mais forte. Depois do primeiro álbum e do documentário *Bixa Travesty*, lançado em 2018, Linn conquistou o mundo e o mainstream. Participou da série *Segunda Chamada*, na TV Globo, foi capa de revista e apresentadora de televisão. Ainda fez espetáculos em Portugal, México, França, Inglaterra, Alemanha e Noruega.

Enviadecendo, como ela mesma adora dizer, Linn da Quebrada cria, à sua maneira, uma nova história para as travestis.

1946

Atrevido que só, Luiz Roberto de Barros Mott tornou-se um importante megafone da causa gay no Brasil após ter criado, em 1980, o Grupo Gay da Bahia. Doutor em Antropologia, professor e etnógrafo, sua pesquisa reconstrói a história da homossexualidade no Brasil. Adora homens e ser homem.

Nascido em São Paulo, Luiz era um garoto sensível. Com isso, acabou vítima da implicância dos irmãos mais velhos, mesmo não tendo sequer noção, na época, do que significava ser *mulherzinha*. Para fugir desse ambiente, com onze anos de idade, partiu para o seminário. Queria ser padre, e a mãe achava que a convivência o ajudaria a ganhar modos mais masculinos.

Foram cinco anos fundamentais de formação, mas seu caminho era outro, decidiu, então, cursar Ciências Sociais. As suas primeiras experiências sexuais com homens ali foram traumáticas pela culpa que carregava: quando chegava em casa, tomava banhos desinfetantes. A crise só foi diminuir em 1969, quando cursou o mestrado na França, e teve amantes para todos os gostos.

Assustado com tamanha intensidade, no retorno ao Brasil, casou-se e teve duas filhas, mas essa ambiguidade o incomodava muito. Concluído o doutorado na Unicamp, já fora do armário, foi de mala e cuia morar na Bahia. Dava aulas e escrevia para o jornal *Lampião da Esquina*. Quando foi vítima de homofobia em Salvador, decidiu conclamar as "bichas baianas" para fundar um grupo de defesa de seus direitos.

O Grupo Gay da Bahia se tornou umas das principais vozes do movimento gay brasileiro; sua primeira batalha foi para que a homossexualidade deixasse de ser considerada doença. Mott também foi fundamental para a inclusão de dispositivos de combate à discriminação em leis municipais e constituições estaduais.

Para além do ativista, Luiz Mott foi professor titular de Antropologia da UFBA, autor de livros e artigos sobre homossexualidade, história da sexualidade, inquisição e relações raciais.

Sandra de Sá

1955

O ano era 1980 e Sandra Sá, cantando "Demônio Colorido", estava pronta para fazer sua apresentação no Festival MPB 80, no Maracanãzinho. Quando notou que o público fervia, pensou: estes aplausos não devem ser para mim. Mas eram.

Até aquele maio, Sandra ainda planejava se formar psicóloga. A carioca, neta de um baterista caboverdiano, vinha de uma família na qual todos os fins de semana eram dedicados a tocar e escutar música na laje de casa. À noite, ela frequentava os bailes de *soul music* do subúrbio.

Sempre na companhia do violão, que aprendeu a tocar sozinha, Sandra acabou sendo apresentada à cantora Leci Brandão, que gravou a sua música "Morenando", em 1978. Com o sucesso no festival, ela decidiu abandonar a faculdade de Psicologia dois períodos antes de terminar. Seu caminho e sua alma já estavam nos palcos.

Três anos depois, gravou o grande sucesso da vida toda: "Olhos Coloridos". De Tim Maia, ganhou, para cantarem juntos, a canção "Vale Tudo". (E quem disse que não vale dançar homem com homem, nem mulher com mulher?) Nascia ali, ainda sem este nome, outra MPB – a Música Preta Brasileira, campo do swing e da pretitude, reino do qual Sandra seria a rainha absoluta.

Seu filho, Jorge, nasceu em 1984, quando ela estava prestes a gravar aquele que seria seu álbum mais vendido, cheio de sucessos das novelas, como "Retratos e Canções" e "Joga Fora". Na mesma época, seguindo as orientações da numerologia, a *soul woman* incluiu um "de" no nome: passou a se chamar Sandra DE Sá.

Com dezesseis álbuns gravados e mais de dez milhões de discos vendidos, Sandra de Sá continua apaixonada pelos palcos e compondo letras no chuveiro. Na pele, traz tatuados seu filho, seus pais, sua africanatividade, fé, amor e o seu Flamengo.

Rafael Gimenez

Paulo Gustavo
1978 - 2021

Nenhum filme brasileiro levou tantos espectadores ao cinema quanto a comédia *Minha mãe é uma peça 3*, estrelada por Paulo Gustavo, interpretando Dona Hermínia, personagem inspirada em sua mãe, Déa Lúcia. Ele foi assistido por, pelo menos, nove milhões de pessoas. Isso sem contar os dez milhões de espectadores que já haviam assistido aos outros dois primeiros filmes da série. Paulo Gustavo jamais poderia imaginar que alcançaria tamanha popularidade. Talvez sequer tivesse noção do quanto era amado pelo Brasil.

Filho de uma professora, ele viveu uma infância sem luxos. O clima em sua casa era sempre agitado, cheio de amor, com todo mundo se metendo na vida um do outro. Como ele nunca foi de estudar, acabou cursando o supletivo. Em 2005, formou-se em Artes Cênicas na CAL, importante escola de Teatro do Rio de Janeiro. No ano seguinte, estreou o monólogo *Minha mãe é uma peça*, o que lhe garantiu uma indicação ao Prêmio Shell de dramaturgia.

O ator, comediante e roteirista gostava de usar o humor de uma forma leve. Conseguia dialogar com todo mundo, apresentando suas ideias e causas entre uma gargalhada e outra. De piada em piada, fez vários filmes de sucesso e programas de televisão de grande audiência, como o *Vai que Cola* e o *220 volts*. Além da TV e do cinema, manteve sempre viva sua carreira nos palcos, com um êxito raro para padrões brasileiros: algumas de suas peças foram vistas por mais de um milhão de pessoas.

Em 2018, o fã de Beyoncé e de Maria Bethânia ganhou o prêmio Homem do Ano. Mas seu grande presente veio mesmo no ano seguinte. Desde 2017, Paulo Gustavo e o marido queriam ser pais. A primeira tentativa de barriga de aluguel não deu certo, mas, em agosto de 2019, o sonho se realizou, com os nascimentos de Romeu e Gael. Paulo Gustavo, acostumado a fazer rir, acabou chorando sem parar... de emoção.

(Em 2021, quando este livro já estava pronto, esta história terminava com a frase acima. Mas no dia 4 de maio desse ano, Paulo Gustavo faleceu em decorrência da Covid-19. O país inteiro chorou sua partida e se despediu de uma parte bonita de sua alegria.)

Seus LGBTQ+ Incríveis

Desenhe aqui ↓

Nome:_____
_____
_____

Nascimento:_____

HISTÓRIA INCRÍVEL:

Desenhe aqui ↓

Nome:_____
_____
_____

Nascimento:_____

HISTÓRIA INCRÍVEL:

Desenhe aqui ⬇

Nome:_____
_____
_____

Nascimento:_____

HISTÓRIA INCRÍVEL:

Desenhe aqui ↓

Nome: _____
_____
_____

Nascimento: _____

HISTÓRIA INCRÍVEL:

Desenhe aqui ↓

Nome: _____
_____
_____

Nascimento: _____

HISTÓRIA INCRÍVEL:

Desenhe aqui ↓

Nome:_____

Nascimento:_____

HISTÓRIA INCRÍVEL:

Desenhe aqui ↓

Nome: _____
_____
_____

Nascimento: _____

HISTÓRIA INCRÍVEL:

Desenhe aqui ⬇

Nome: _____
_____
_____

Nascimento: _____

HISTÓRIA INCRÍVEL:

_____
_____
_____
_____
_____
_____
_____
_____
_____
_____
_____
_____
_____
_____
_____
_____
_____
_____
_____
_____

Desenhe aqui ↓

Nome: _____
_____
_____

Nascimento: _____

HISTÓRIA INCRÍVEL:

Desenhe aqui ↓

Nome:_____
_____
_____

Nascimento:_____

HISTÓRIA INCRÍVEL:

_____
_____
_____
_____
_____
_____
_____
_____
_____
_____
_____
_____
_____
_____
_____
_____
_____
_____
_____

Agradecimentos

Daniel Ferreira • João Nemi Neto
Simone Ferreira • Bernardo Ferreira
Brenda Valencia • Hildete Pereira de Melo
João Gabriel Rodrigues • Leonardo Tonus
Nuno Virgílio • Pedro Paulo Malta
Pedro Thomé • Renan Quinalha
Renato Franco • Sonia Correa

E todas aquelas e aqueles que, pelas redes, também contribuíram com nomes, ideias e informações.

Créditos

Ana Beatriz Brandão
anabeatrizbrandaoof
Pg 62 Alexya Salvador

Angie Barbosa
illust.angie
Pg 44 João Silvério Trevisan
Pg 98 Milton Cunha

Carolina Carvalhal
carolcarvalhal.art
Pg 96 Marielle Franco

Elayne Baeta
elaynebaeta
Pg 18 Cássia Eller
Pg 24 Roberta Close
Pg 60 Daniela Mercury
Pg 72 Tiffany Abreu

Felipe Guatiello
guatiello
Pg 74 Madame Satã

Gabriela
sapartista
Pg 52 Angela Ro Ro
Pg 66 Amiel Modesto

Heder Oliveira
holiventrae
Pg 16 Caio Fernando Abreu
Pg 68 Ney Matogrosso
Pg 94 Laerte

Ilustra Lu
ilustralu
Pg 20 Erica Malunguinho
Pg 28 Jorge Lafond
Pg 38 João W. Nery

Isadora Zeferino
imzeferino
Pg 14 Felipa de Souza
Pg 30 Marta Silva
Pg 56 Silvero Pereira
Pg 64 Herbert Daniel
Pg 82 Ludmilla

Limão com Vodka
limaocomvodka
Pg 46 Jurema Werneck
Pg 76 Rosely Roth
Pg 102 Mãe Stella de Oxóssi

Mafe Krug
sourwormies
Pg 70 Katu Mirim
Pg 92 André Fisher
Pg 100 Amanda Nunes
Pg 106 Luiz Mott

Marcos Vian
captainboart
Pg 26 Sen Fabiano Contarato
Pg 32 Gisberta
Pg 40 Joãozinho da Gomeia
Pg 50 Miss Biá
Pg 58 João do Rio
Pg 80 Márcia Rocha
Pg 84 Almir França
Pg 90 Leilane Neubarth

Mari Velasco
www.marivelasco.com
Pg 86 Marco Nanini
Pg 88 Anahi Guedes de Mello

Pedro Maia
pedromaia.art
Pg 36 Leci Brandão
Pg 104 Linn da Quebrada

Rafael Gimenez
jpeg.feio
Pg 48 Rogéria
Pg 110 Paulo Gustavo

Rafamon
rafamon
Pg 34 Leandro Prior
Pg 78 Dzi Croquettes
Pg 108 Sandra de Sá

Stephanie Madeit
stephaniemadeit
Pg 54 Alexandra Gurgel

Vitor Martins
vitormrtns
Pg 12 Pabllo Vittar
Pg 22 Cazuza
Pg 58 Jean Wyllys

Design de Miolo
Renan Salgado e João Veras
dextersalt e quezacolt

Designer de Capa
Caio Capri
caiocapri
caiocapri@gmail.com

A fonte usada neste livro se chama "Gilbert" e foi criada pela agência de publicidade "Ogilvy & Mather" em parceria com a NewFest (New York Lesbian, Gay, Bisexual, & Transgender Film Festival) e a NYC Pride. A fonte homenageia o artista e ativista Gilbert Baker que criou a bandeira arco-íris para o "Dia da Liberdade Gay" em São Francisco, um dos símbolos mais icônicos do movimento LGBTQ+.

Débora Thomé

Autora

Débora Thomé é escritora, doutora em Ciência Política e ativista, variando de um a outro, ao longo dos dias e das semanas. Adora ler, dançar, viajar e visitar museus. Assim, passeou por lugares, livros, quadros, textos, músicas, filmes e séries para escrever este que é o seu sexto livro. Sua outra obra publicada pela Galera Record, *50 Brasileiras Incríveis para conhecer antes de crescer*, foi finalista do Prêmio Jabuti 2018.

Richarlls Martins

Organizador

Richarlls Martins é pesquisador-convidado da Fiocruz e coordenador da Rede Brasileira de População e Desenvolvimento. Cursa o doutorado em Saúde Coletiva, é mestre em Políticas Públicas em Direitos Humanos, recebeu o prêmio Ações Afirmativas da UFRJ em 2018 por sua dissertação e é psicólogo. Foi professor da UFRJ e do IREL/UnB, coordenador do curso Gênero, Sexualidade e Raça na Política Global do IREL/UnB e supervisor do curso Gênero e Diversidade na Escola da UFRJ. É ativista dos movimentos LGBTQIA+, negro e dos direitos humanos, é parceiro do movimento feminista, vive com verdade o carnaval, alegra-se pelos 44 países que pisou e pode ser encontrado como a drag queen Survive.
@richarlls

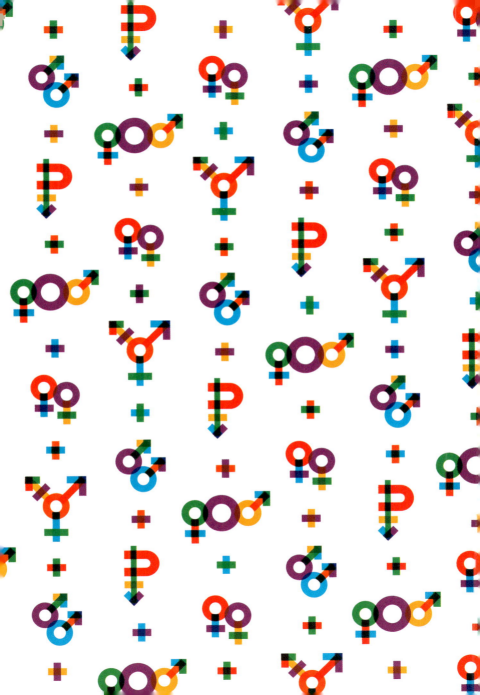